FILE.25-01

◉写真提供＝ギャラリーランズエンド／文＝沙月樹京

MIURA Etsuko
三浦 悦子

無垢な楽しみと
ユーモアも感じさせる
トルソ作品

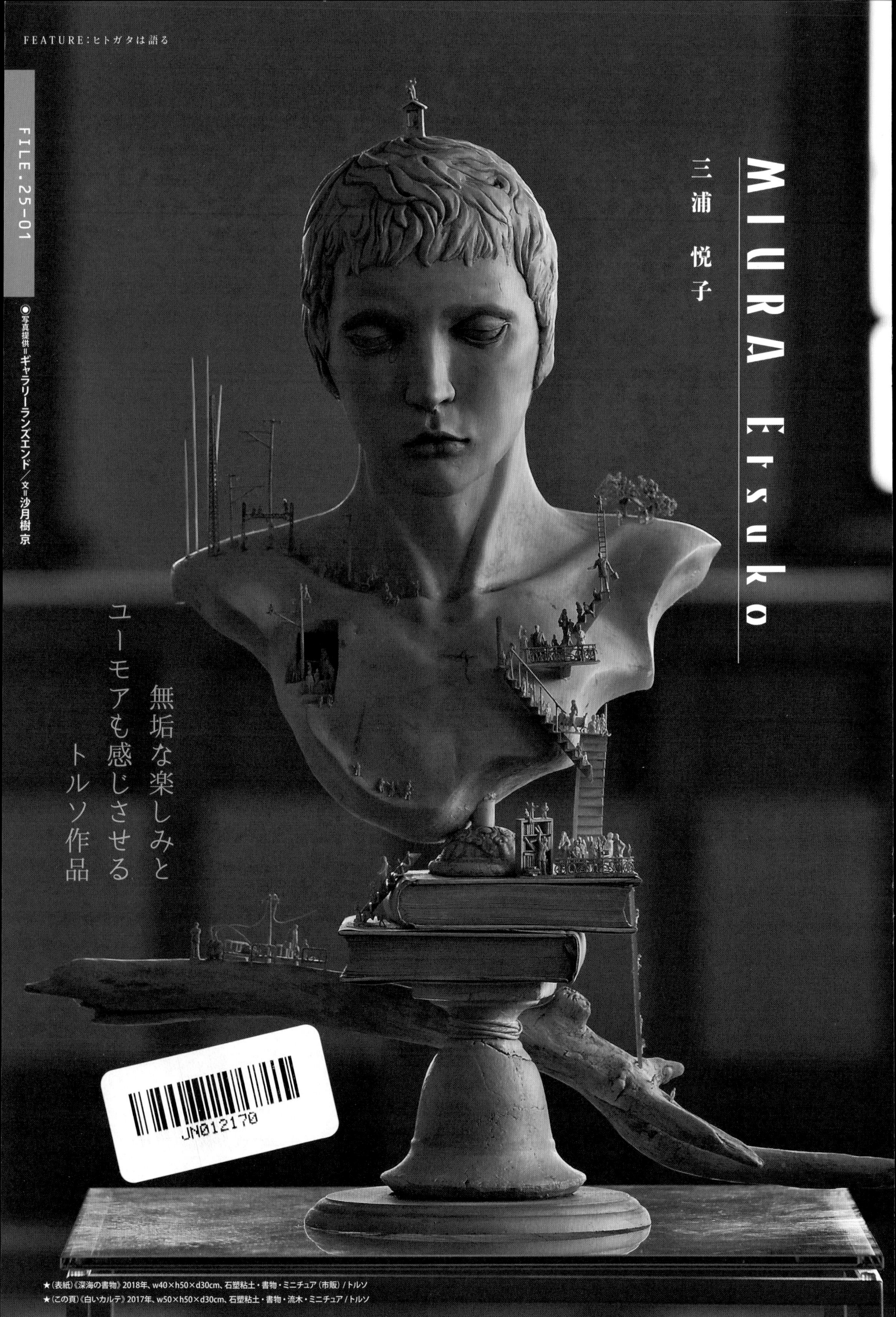

★（表紙）《深海の書物》2018年、w40×h50×d30cm、石塑粘土・書物・ミニチュア（市販）/トルソ
★（この頁）《白いカルテ》2017年、w50×h50×d30cm、石塑粘土・書物・流木・ミニチュア/トルソ

★《曲芸師の晩餐》2016年、w40×h45×d30cm、石塑粘土・ミニチュア／トルソ

★（左上から時計回りに）
《化鳥（泉鏡花）》2018年、w40×h45×d20cm、石塑粘土・ミニチュア / トルソ
《はだしの少年》2019年、w65×h25×d20cm、石塑粘土・ボタン / 立像
《無題》2019年、w40×h45×d30cm、石塑粘土・ミニチュア・古時計材料 / トルソ
《外科室（泉鏡花）》2018年、w50×h45×d30cm、石塑粘土・ミニチュア・書物 / トルソ

★《白い蜃気楼》2017年、w70×h40×d12cm、石塑粘土・ミニチュア・額縁・別珍（黒）/ 壁掛け作品

★《化鳥の書物（泉鏡花）》2018年、w25×h20×d5cm、書物・鳥羽・積層粘土・LEDライト・ミニチュア / 書物作品

★《無題》2019年、w8×h10×d8cm、石塑粘土・かつら・硝子目 / 人形ヘッド

★《ヴァイオリンウサギ ミニBOX》2019年、w16×h26×d6cm、
石塑粘土・木箱・積層粘土・包帯・ヴァイオリンヘッド・革 / ワークショップ見本

★《ヴァイオリンウサギ》
2019年、w8×h35×d6cm、
石塑粘土・牛革・硝子目
/ 球体関節人形

★《食卓》2009年、w180×h100×d38cm、石塑粘土・樹脂・石膏・板・人形髪・食器等 / 人形ミクストメディア

★《ハナヨメⅢ》2010年、w170×h50×d25cm、石塑粘土・牛革・古いカメラ脚立・乾燥食品 / 人形ミクストメディア

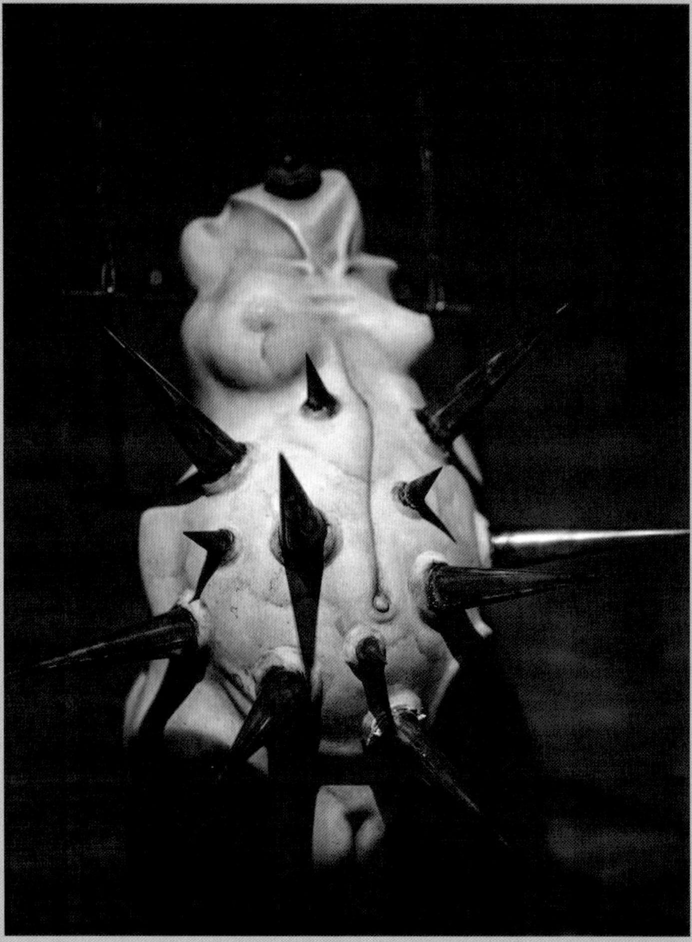

★《クローゼットBody》2002年、w45×h50×d40cm、石塑粘土・調理具・水道蓋 / オブジェ

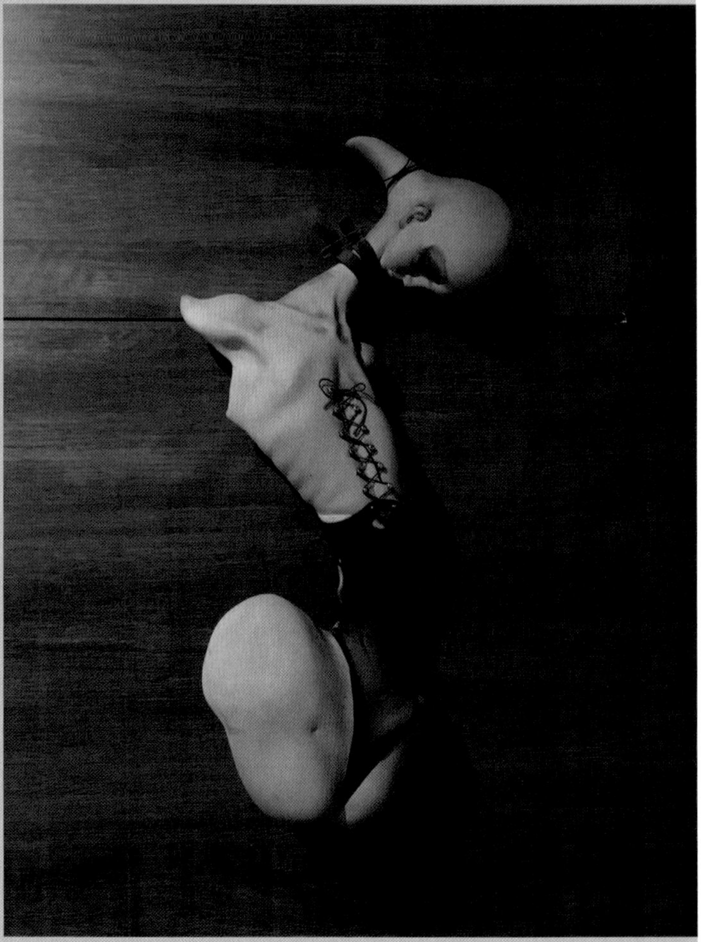

★《チューリップ》2005年、w15×h35×d8cm、石塑粘土・エナメル布 / 人形オブジェ

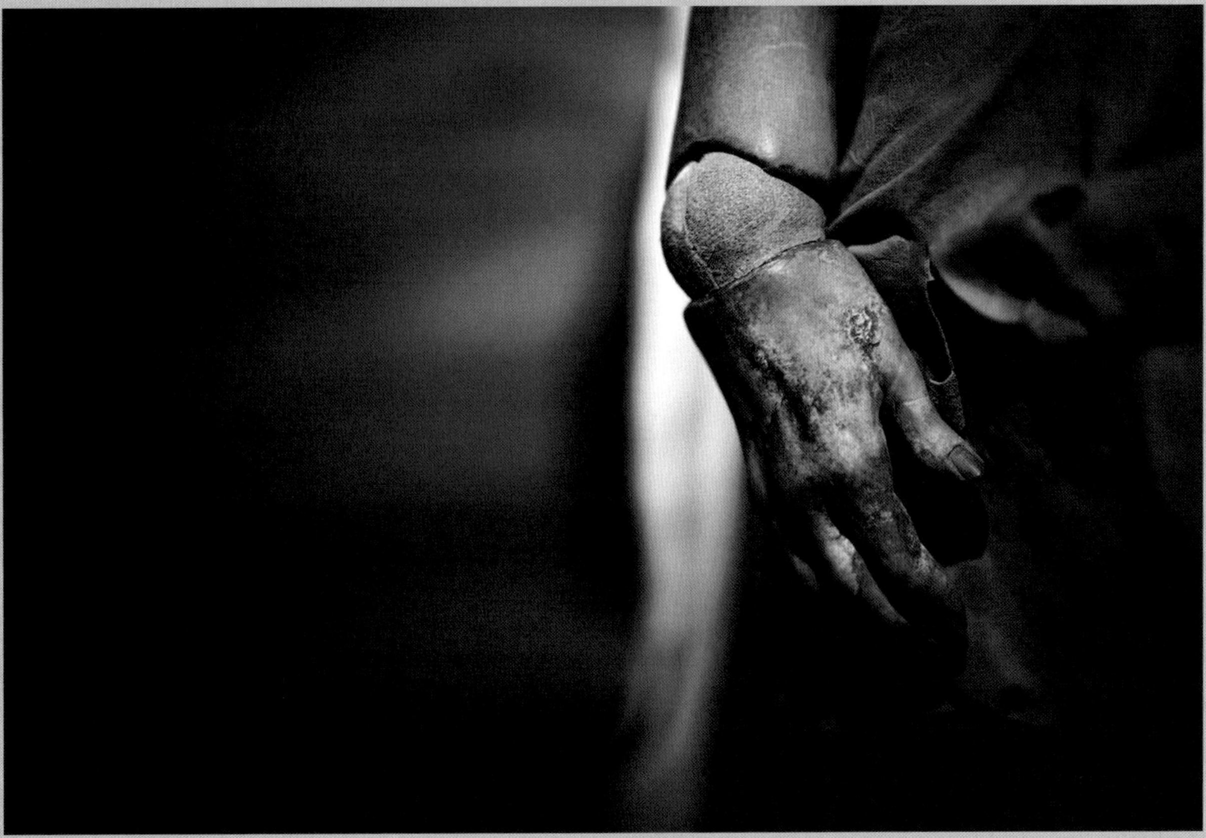

★《ハナヨメⅢ》部分

★《草迷宮（泉鏡花）》2018年、w110×h30×d20cm、石塑粘土・人形目・人形髪・板 / 球体関節人形

★《兵士の盾》2002年、w190×h135×d27cm、石塑粘土・板 / オブジェ

既成概念にとらわれず、人形にも彫刻にもおさまらない作品群を生み出し続ける

三浦悦子の大規模な個展が、姫路のギャラリーランズエンドにて開催された。三浦が画材屋で、吉田良が主宰するDOLL SPACE PYGMALIONのDMをたまたま見つけて、その足でなんとなく見学に行ったのが1997年。縫い目があったり奇妙に歪んでいたりと、愛玩的な人形とは一線を画した作品を初期から生み出した。最初の個展や作品集、ホームページのタイトルには「義躰」という単語が用いられ、その通り、手術室の中でメカニカルに解体され縫合されたかのような作品が多く、その病んだような印象も相まって、観る者に大きなインパクトを与えたのである。

しかし三浦も少しずつ作風を変えていく。昨今、主に制作し続けているのは、白いトルソ像だ。トルソの胸や肩、頭の上などに建造物が作られ、小人たちが遊んでいる。そのトルソはある意味、大地の母的な存在なのだろう（トルソは女性像とは限らないが）。トルソが内面に抱える心象の世界が、小さな建物や小人として表現されている、と見ることもできるかもしれない。いずれにしろ、トルソの白さは、それまでの病んだような作品の印象を払拭するかのような、無垢な光を放っている。

今回の個展では、地下ギャラリーで主にトルソ作品が、2階ギャラリーで旧作が展示された。ギャラリーランズエンドは、三浦の作品をコレクションした建築家のオーナーが3年前に開いたもので、建物や空間自体も魅力的。作品点数も揃った非常に見応えのある展示として高い評判を得た。

ある意味、トルソ作品は、既成概念にとらわれず人形という概念を突き破り、彫刻という範疇からもはみ出し続けた三浦が、彫刻と人形の狭間に発見した気張らない遊戯のようなものかもしれないと、そんなことを思ったりもする。トルソ作品には、無垢な楽しみが感じられ、しかもユーモラスさもあり、純な気持ちで作品との対話が楽しめるのである。

（沙月樹京）

★（左から）
《ハナヨメIII》
《電球頭》2002年、w40×h170×d35cm、
石塑粘土・水道管・実験道具硝子球／オブジェ
《兵士の盾》

★（左）《白い蜃気楼》
（右）《草迷宮（泉鏡花）》

★展示風景

※三浦悦子 展「科白のトルソ」は、2019年11月16日～12月15日に、姫路市のGallery Land's Endにて開催された。

自然の厳しさを耐え忍び
生き抜いていく、健気な生命力

FILE.25-02

◉写真=gallery hydrangea／文=沙月樹京

Mekkedori

メッケドリ

★《樹氷》2019年、h430mm、石粉粘土・木・グラスアイ・パステル・合繊
（右の写真も）

★《ノエル》2019年、h700mm、石粉粘土・油彩・胡粉・グラスアイ・人毛

★（左）《ベリル》2016年、h500mm、石粉粘土・油彩・グラスアイ・モデリングペースト・人毛
（右）《アンバー》2015年、h500mm、石粉粘土・油彩・胡粉・グラスアイ・人毛

★《寒い日に》2013年、h1000mm、石粉粘土・油彩・グラスアイ・
モデリングペースト・人毛（上下の写真いずれも）

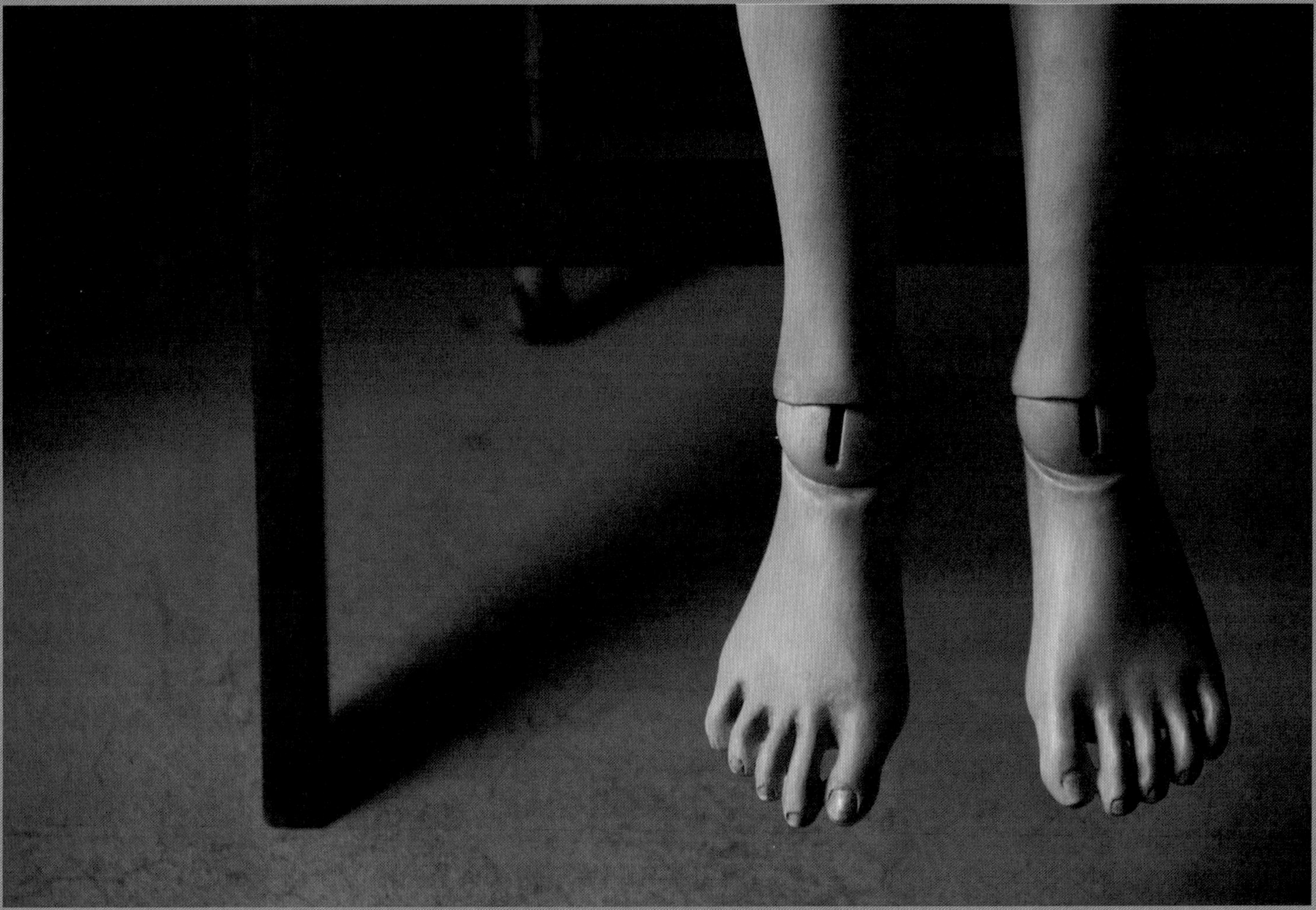

★《worm》2019年、h550mm、石粉粘土・グラスアイ・油彩・胡粉・合繊

★《管》2019年、h300mm、本革・ジェスモナイト

★《nest》2019年、h250mm、羽根・ジェスモナイト・ドライフラワー

★《ペンギン》2019年、テラコッタ

★《シロクマ》2018年、テラコッタ

★《雪の日の犬》2019年、張り子・鉱物

★《風の中》2018年、テラコッタ

★展示風景

★《山羊》2014年、h500×w800×d200mm、石粉粘土・油彩・胡粉

★《目》2015年、h130×w190×d35mm、石粉粘土・油彩・胡粉

冬の森の中、静寂を楽しんでいるかのような素朴な人形たち

暗い灰色の壁に、枯れた木の枝。寒々しさを漂わせた空間に、人形やテラコッタの小品が点在する。メインに据えられた作品の名は《樹氷》。俯いたその顔や、腕代わりに付けられた穴の空いた枝に、自然の厳しさに耐え忍びながらも生き抜いていこうとする、健気な生命力を窺わせる。

展示のテーマは「冬の森」。そのような自然を人形と対峙させようとする試みは、あまり知らない。静かに息をひそめる人形たちは、森に住まうことが似つかわしい素朴さを湛え、寒さに閉ざされた静寂を心地よく楽しんでいるかのように見える。そして手指による造形の跡を残すテラコッタ作品には、自然の中に溶け込むかのような、さらに素朴な味わいがある。

Mekkedoriは秋田県生まれ。今回の展示にはその秋田の情景も反映されているのだろう。現在は東京を中心に活動し、使用しているシェアアトリエをマツコ・デラックスが訪れ、TV番組「夜の巷を徘徊する」で紹介されたこともある。今回が初個展だったが、会場全体で世界観を作り上げ、都会の喧騒を離れてどこか遠くへ旅をしたかのような、そんな気分にさせてくれた展示であった。

（沙月樹京）

★《翡翠》2011年、h600mm、石粉粘土・パステル・グラスアイ・モデリングペースト・人毛

※Mekkedori 個展「白色の静寂、その森の音叉はやわらかく鋭い」は、2019年12月12日〜23日に、東京・曳舟のgallery hydrangeaにて開催された。

FILE.25-03

HIROTA Satomi

ヒロタ サトミ

◉文＝沙月樹京

★《うたた寝をするサラ》2019年、106cm、
和紙・石塑・胡粉・顔彩・油彩・人毛・綿・アンティーク素材 他

おめかししたり、
うたた寝をしたり……
3体の人形が醸すリアルな生活感

★ビリケンギャラリーでの展示風景／写真：田中流
（右から）
《うたた寝をするサラ》
《サラは夢の中》2019年、106cm、
和紙・石塑・木の粘土・胡粉・顔彩・油彩・ガラス・人毛・絹・アンティーク素材 他
《おめかしをしたサラ》2019年、106cm、
和紙・石塑・木の粘土・胡粉・顔彩・油彩・ガラス・人毛・絹・アンティーク素材 他

BEBE JUMEAU

★ビリケンギャラリーでの展示風景
／写真：田中流

★《une poupée no.2》2019年、
和紙・石塑・桐子・木の粘土・胡粉・顔彩・油彩・
ガラス義眼・蝋・モヘア・リネン・アンティーク素材 他
（左頁の写真も）

★《あたしたち悪い子》2019年、
和紙・石塑・胡粉・油彩・ガラス義眼・モヘア・絹・綿・アンティーク素材 他

★（左頁）
《プレゼント》2019年、22cm、
和紙・石塑・胡粉・顔彩・油彩・ガラス義眼・モヘア・綿・アンティーク素材 他

★《Yvonne（「サラ」ヴァージョン）》2019年、32.5cm、
プラスチック・ガラス義眼・化繊・絹・革・蝋・クリスタル・レース

★《夢の始まり》2019年、
和紙・石塑・胡粉・油彩・ガラス義眼・
蝋・金属・クリスタル・サンゴ

★《指人形／左「la lune（お月様）」右「conte（物語）」》
2019年、11.5cm、和紙・石塑・胡粉・顔彩・油彩・
羊毛・紙・綿・アンティーク素材

★《une poupée no.1》2019年、
和紙・石塑・桐子・木の粘土・胡粉・
顔彩・油彩・ガラス義眼・モヘア・
リネン・アンティーク素材 他

★《うたた寝をするサラ》／写真：田中流

人形を通じて50年後、100年後の誰かを喜ばせたい

ジュモーなどのビスクドールがヨーロッパで流行したのは19世紀後半のこと。もともとは貴族女性のための衣装の宣伝用に作られていた人形が、子供の容姿をした玩具として作られるようになり、広まっていった。それらの人形も制作されてから100年以上経つが、いまもアンティークドールとして愛され続けている。

ヒロタサトミは自身のブログで、そうした年月を重ねてきた人形への思いを綴っている。「私は毎日100年前、50年前のお人形に癒され、励まされ、力付けられています」「誰かのために、誰かを喜ばせよう、その気持ちがお人形に溢れています」。そしてその思いが、50年後、100年後のだれかに届くように——そんな気持ちで人形を制作しているのだという。

個展会場となったビリケンギャラリーに足を踏み入れてまず目に飛び込んで来たのが、一番奥に佇んでいた、水色のドレスを着て冠を被った大きな人形。凛とした表情でこちらを見つめている。しかもその両脇にも同じサイズ、同じ容姿の人形。ひとりは華やかに着飾り、ひとりは気持ちよさそうに眠っている。この、サラと名付けた空想の少女の人生をさまざまに想像しながら、本当にある時代を生きていたかのような、人格や生活がうかがえるような人形を作りたかったのだという。そのため昔のマネキンのように軽量な張り子でボディを作り、美しい立ち姿を実現させた。そしてうたた寝をするサラの、寝息が聞こえてきそうな表情！　凛と佇む姿と、無防備なうたた寝の姿の対比がまた、サラという存在の人間味を感じさせたりする。

他の展示作品を見てみれば、100年前からさまざまに工夫されてきた技巧を試みたものがいくつかあり、そうしたところにも、かつての人形制作者へのリスペクトが感じられる。《une poupée no.2》は横にすると目を閉じるスリープアイ。《あたしたち悪い子》は、そのひとつを古いオルゴールに座らせて、手足を動くようにした動画がインスタグラムにアップされている。

ヒロタの作品はこのように、生きているかのようなリアルな人形から、愛玩的な人形、指人形まであって、実に多様だ。さまざまな人形の魅力を次代へ届けたいとするヒロタの思いを、そこに感じることができるにちがいない。

（沙月樹京）

※ヒロタサトミ個展「サラは夢の中」は、2019年11月16日～12月1日に、東京・表参道のビリケンギャラリーにて開催された。

FILE.25-04

◉REPORT◉

朱宮垂狐、田野敦司、日隈愛香
横倉裕司、夜野茉莉亞
人形―ヒトガタ―陳列室

◉写真＝横倉裕司／文＝沙月樹京

★《Elisa》2018年、54cm、
石塑粘土・化繊・
ラッカー塗料・パステル

★《吸血姫III》2019年、48×33cm、
石塑粘土・化繊・ラッカー塗料・パステル・木材

★《アダムの肋骨》2019年、55cm、
石塑粘土・化繊・ラッカー塗料・パステル・布

AKEMIYA Suico
朱宮 垂狐

★《Joschka》2017年、54cm、
石塑粘土・化繊・ラッカー塗料・パステル

★《Carmen》2019年、25×18cm、
石塑粘土・化繊・ラッカー塗料・パステル・額

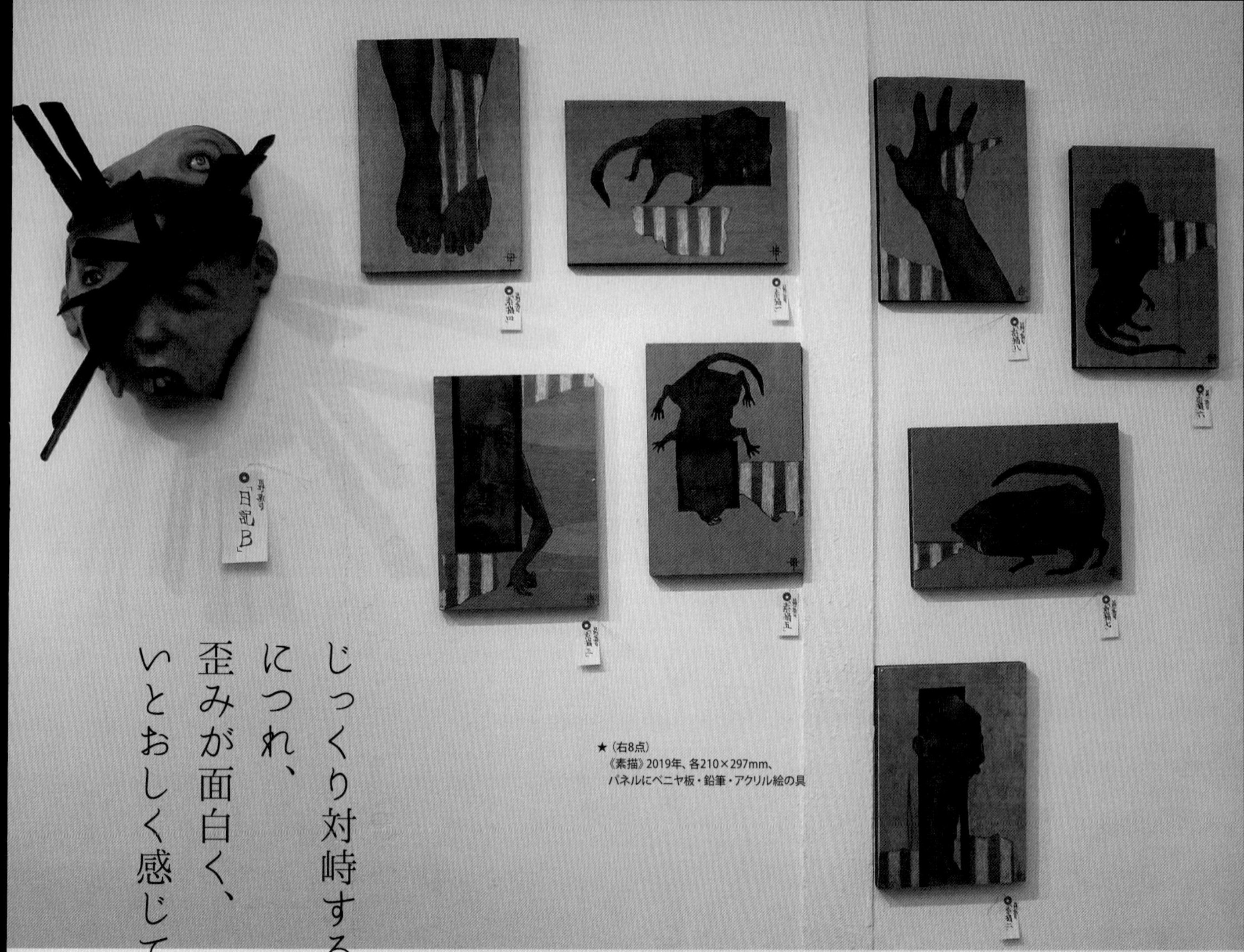

じっくり対峙する
につれ、
歪みが面白く、
いとおしく感じてくる

★（右8点）
《素描》2019年、各210×297mm、
パネルにベニヤ板・鉛筆・アクリル絵の具

★《日記B》2010年、FRP樹脂にアクリル絵の具

TANO Atsushi
田野 敦司

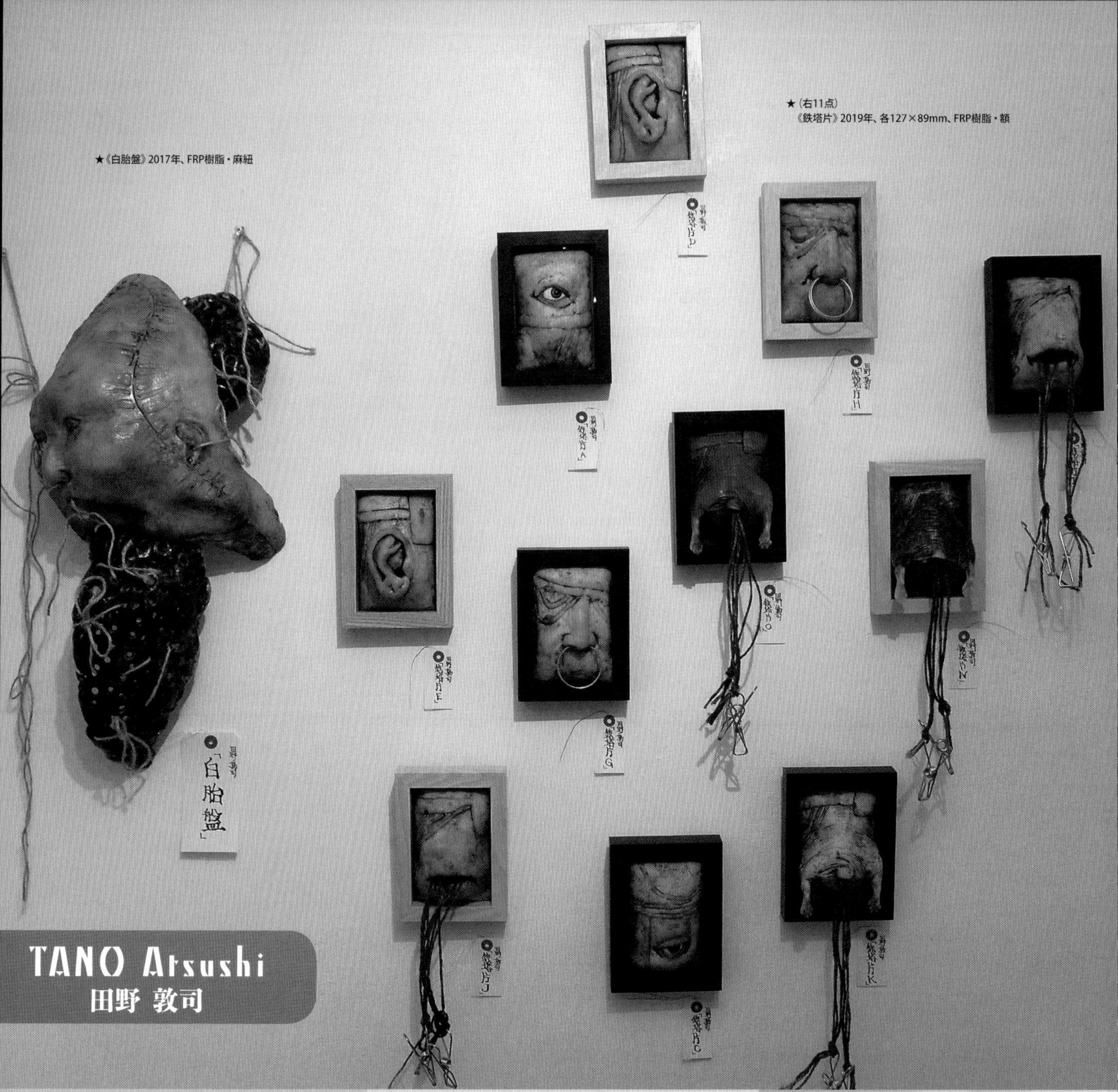

★《白胎盤》2017年、FRP樹脂・麻紐

★（右11点）
《鉄塔片》2019年、各127×89mm、FRP樹脂・額

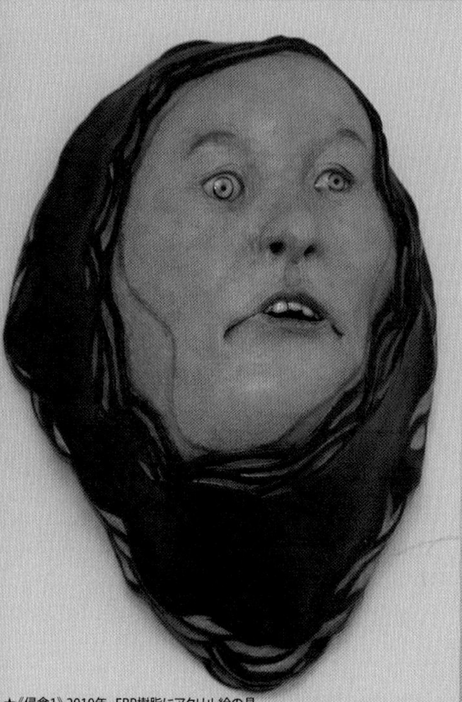

★《侵食1》2010年、FRP樹脂にアクリル絵の具

★《日記A》2010年、FRP樹脂にアクリル絵の具

★《山神》2010年、FRP樹脂にアクリル絵の具

★《ケロイドの乙女》2016年、25×34cm、
キャンバス・アクリル・包帯・木

★《無題》2019年、28×10×9cm、石粉粘土

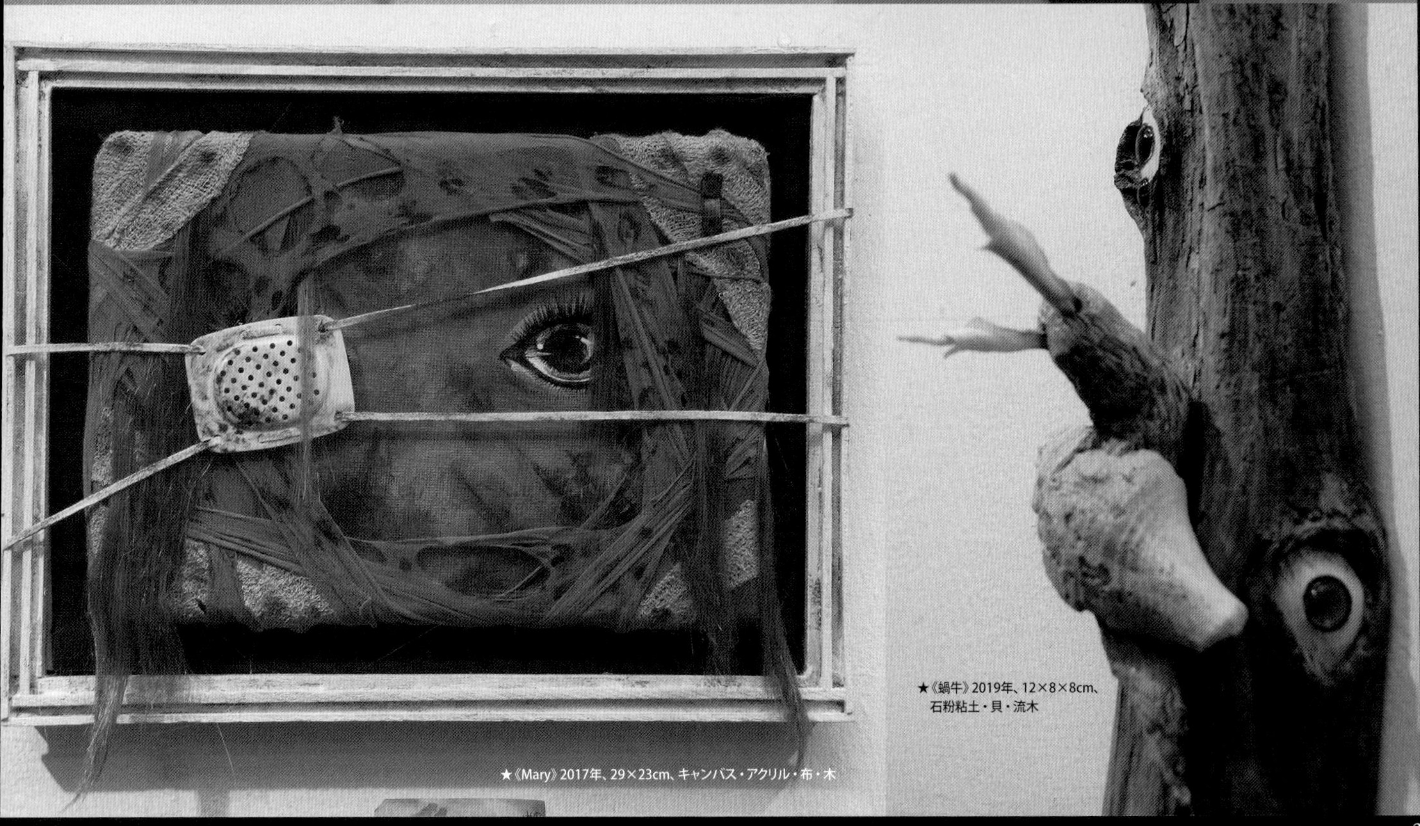

★《蝸牛》2019年、12×8×8cm、
石粉粘土・貝・流木

★《Mary》2017年、29×23cm、キャンバス・アクリル・布・木

★（右）《淵》2017年、34×9×9cm、石粉粘土
（左）《蛇骨》2019年、55×9×9cm、石粉粘土・布・和紙・石

HINOKUMA Aika
日隈 愛香

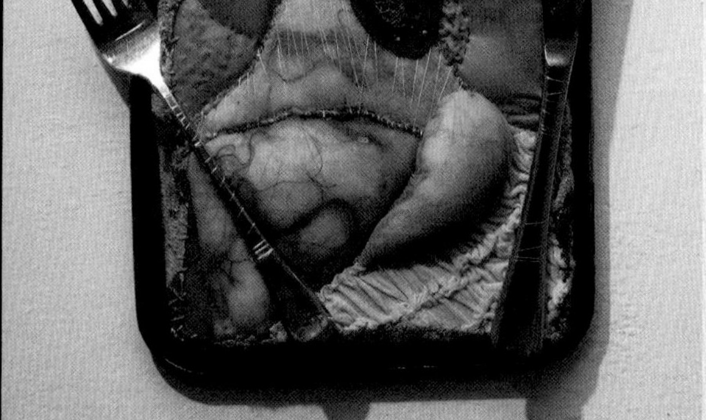

★《in side》2017年、20×25cm、キャンバス・布・カトラリー

★《喪女》2017年、25×20cm、キャンバス・アクリル・布・木

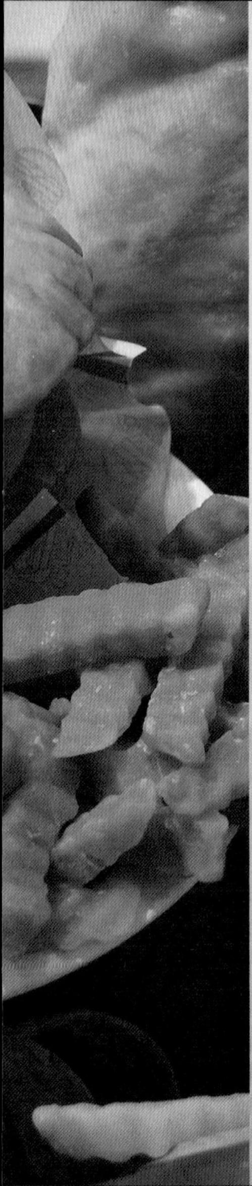

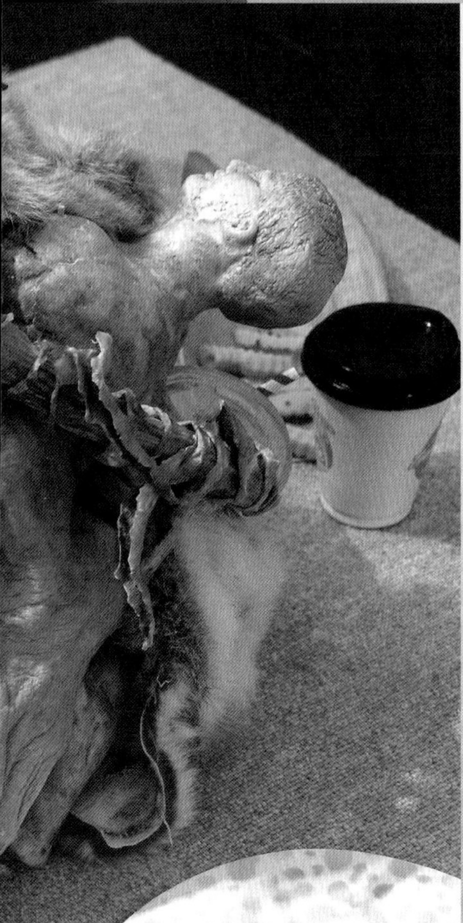

★《spot》2018年、
50×50×50cm、waxなど

YOKOKURA Yuji
横倉 裕司

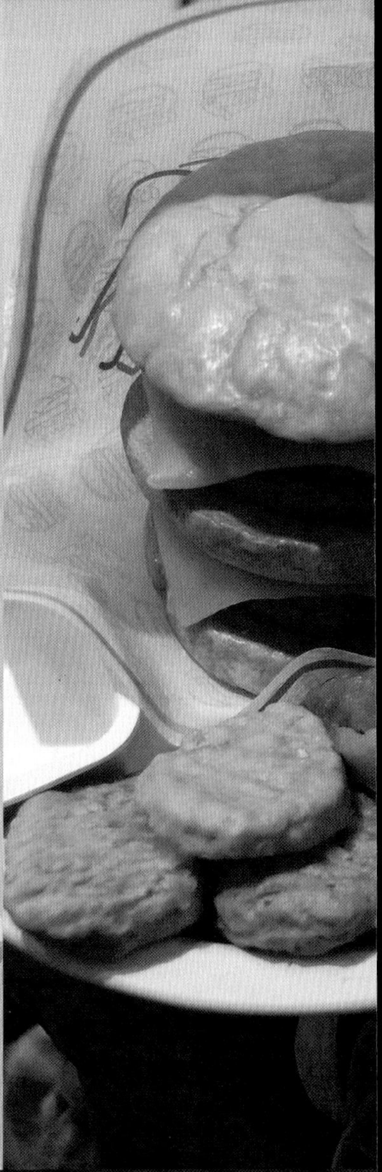

★（上半分の写真3点）
《good enough》2019年、80×50×80cm、waxなど

★《surface》2018年、100×100×40cm、waxなど
（右の写真も）

★夜野茉莉亞、中井結《ピンクの森》合作、2019年

異形なヒトガタたちとスリリングな対話を愉しむ

展示タイトルは「人形―ヒトガタ―陳列室」。人形という旗印のもとに5人の作家が集った展示だが、「ヒトガタ」と読ませることからもうかがえるように、ふつう考えられている「人形」とはまったくちがう、異形の作品で会場は埋め尽くされた。

朱宮垂狐は、この中では人形らしいといえば人形らしい作品だろう。しかしときにその身体は傷つけられ刻印されて、顔も少々過剰に装飾され妖艶さを醸している。その風貌は、無垢のようでありながら観る者を惑わさんとするかのような魔性を放っている（本誌 file.22 に紹介記事あり）。

日隈愛香はそのヒトガタをさらに、この世ならざる姿に貶めていく。そこには死の気配がみなぎり、日隈の世界ではヒトも所詮モノであり、同時にモノもヒトと同じく魂を宿しているのだろう。背骨にこだわりを持つのは、その形状の面白さもあるだろうが、それと同時に背骨は身体を支える重要な役割を持つ一方で死んで腐っても遺る部分であり、ある意味、ヒト（生）とモノ（死）との往還を象徴する部分だからかもしれない（本誌 file.14 に紹介記事あり）。

田野敦司は、顔が異様に崩れた不気味な仮面のほか、身体を解体・再構成したかのような素描、ＦＲＰ樹脂

YORUNO Maria
夜野 茉莉亞

★（上）中井結《血を流すもの》2019年、鉛筆
（下右）夜野茉莉亞《血を流すもの/DOLL1》2019年
（下左）夜野茉莉亞《血を流すもの/DOLL2》2019年

で造形したものを額に納めた《鉄塔片》のシリーズなどを展示した。いずれもヒトのようでヒトにあらざるバケモノ的な存在で、一瞥しただけだと嫌悪感を覚えるかもしれないが、じっくり対峙するにつれ、その歪みが面白く、いとおしく感じてくる。

蠟を使った造形に、さまざまなオブジェをミックスさせ、過剰な生命力を生み出しているのは、横倉裕司。異物と融合し合うことで異様な物体が出現する。それはいわば、欲望の成れの果てだと言えるかもしれない。肥大化し、制御の効かなくなった欲望が生み出すカオス、それをシニカルに造形してみせたのが、横倉の作品なのではないか。

今回が初めての発表となる夜野茉莉亞の人形は、未熟さもうかがえるが、失敗して白くなったという瞳が逆に、魂の抜けた虚脱感を漂わせ、鼻から流れる血をより際立たせているように感じた。鼻血を流すままにすることは、魂の不在の暗喩でもあろうからだ。

こうして振り返ってみると、さまざまなヒトガタを通して浮かび上がってきたのは、魂のあり方——しかも異形的なあり方——だったような気がする。ヒトガタに魔性や死の気配、欲望をそこに探し出してしまうのは、観る側が魂を求めているからである。田野の作品にいとおしさを感じるのも、そこに魂を探し当てることができたからだ。そして、作品の魂と出会うことで、作品との対話が始まる——異形なヒトガタたちの異形な魂との対話は、このうえなくスリリングで面白いことは言うまでもない。

（沙月樹京）

※朱宮垂狐、田野敦司、日隈愛香、横倉裕司、夜野茉莉亞「人形—ヒトガタ—陳列室」は、2019年12月10日〜15日に、東京・原宿のデザインフェスタギャラリーにて開催された。

「根源」につながって制作することで
対峙した人のアニマの琴線を震わせる

LAJU

羅人

◉文=志賀 信夫

★（上）《蛇の書》2004年、120×120mm、エッチング
（左頁）《彼岸幻夢》2002年、353×205mm、エッチング

★《海の集会》2020年、275×220mm、墨・和紙・パネル

★《海神》2018年、410×320mm、墨・顔彩・銀泥・和紙・パネル

★《卍》2017年、330×250mm、墨・顔彩・銀泥・和紙・パネル

★《ハイヌウェレ》2018年、410×320mm、墨・和紙・パネル

密教をベースに、精神世界と現実をつなげた表現を目指す

羅入《ラジュ》の作品は主に銅版画、水墨画（墨彩画）でモノクロームなものが多く、身体が幻想的なモチーフに取り囲まれている。そして、その身体も含めて、しっかりした線で描かれており、揺るぎない印象がある。その羅入と初めて出会ったのは、「混沌《こんどん》の首」というグループによるパフォーマンスだ。混沌の首は、ともに旧知のアーティスト、石川雷太、ダンサーの神林和雄らと組んでいる集団だ。ところが聞くと、羅入はさらに僧侶でもあるらしい。それはかなり珍しいだろう。家が寺院なのか。少々不思議な存在であるこの羅入に、いろいろ聞いてみた。

自身の幻想に基づく銅版画と水墨画

羅入は、幼いころから絵を描いたり粘土をいじったりするのが好きで、現在の作品づくりも、その延長にあるという。そして、アルブレヒト・デューラーやギュスターヴ・ドレなどの細密な版画が好きだった。

彼女は、あるグループ展で出会った人が見せてくれた、蒲地清爾《かまちせいじ》の銅版画に衝撃を受け、彼の元に学びに行った。蒲地が「銅夢版画工房」を始める前、公民館で教えていたころだ。そして、工房ができた一九九七年から二〇〇一年まで通った。同期には杉本一文、宮島亜紀などがいる。蒲地清爾はエロティックかつ死のイメージなどをモチーフとする銅版画家で、蔵書票などが有名である。

羅入は、水墨画に対しては、和紙と墨という素材に惹かれつつも、「侘び寂びの世界」とは遠い作風の自分には不向きと思っていた。だが、高野山画僧の藤原祐寛《ゆうかん》から、京都墨彩画壇の公募展に誘われた。そして、ほぼ初めての水墨画で一〇〇号を描き、賞をもらった。羅入の水墨画は、基本的に自己流だが、二〇一六年から、その藤原に折に触れ教えを請うている。

★《月冠する獣》2020年、135×90mm、墨・和紙

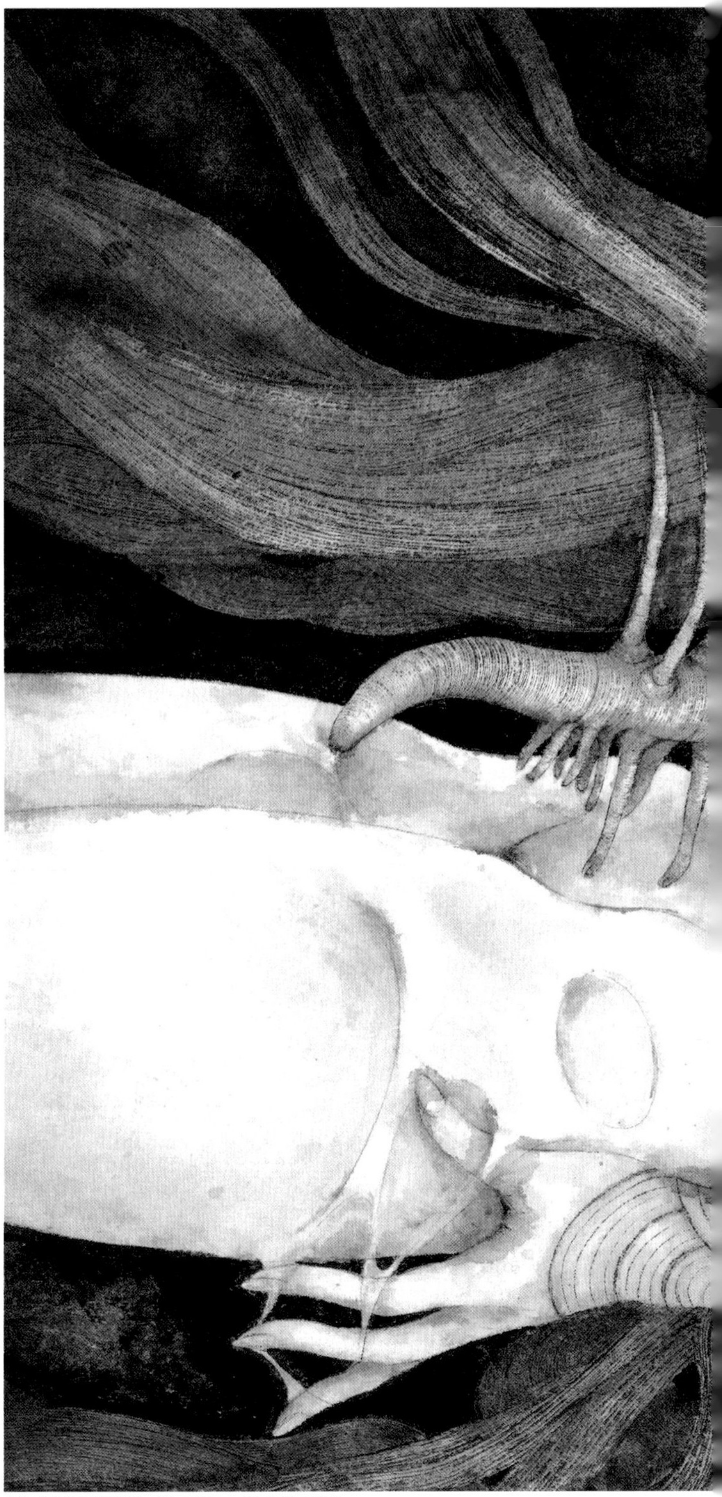

★《ハルキゲニア》2020年、295×420mm、墨・和紙・パネル

★《disjointed hainuwele》2020年、135×90mm、墨・和紙

羅入の作品は、モノクロームが多いが、それはどうしてだろうか。彼女の作品は、どうやら自身の幻視に基づいているようだ。それは、たいてい暗闇に白い線で見えるという。それが闇と白というモノクロームの世界となって作品になるのだろう。

水墨画は、色を使っていないのに、見ていると色が見えるときがある。それは脳が騙されていると羅入は感じている。高度な古典技法の水墨画には、近寄って見れば、単なる墨と滲みの表現なのに、写真よりもリアルに見えるものがある。それも脳が騙されている。そのように、実際にものを見ているのは、目ではなく脳なのだと自覚させられる体験は、奇妙で楽しいものだと羅入はいう。

黒という色には、すべての色が含まれているといえる。そして黒といっても、比べてみれば、さまざまである。同じような墨の色でも実に異なる。モノクロームの魅力は、多色よりも、より深い部分がある。それは、写真、あるいは映画を例にとれば、わかりやすいだろう。そして、このモノクロームの世界のなかで、銅版画の刻む感覚と、水墨画の水に溶けた墨の柔らかさ、それぞれの魅力を羅

★《回帰》2008年、135×195mm、エッチング

入は追求しているのだろう。

銅版画は錬金術

羅入の銅版画の技法はエッチングで、ニードル（針）で描いた線を腐食液によって腐食させて彫る。この技法は、一ミリの間に数本の線を描くことができるので、細密な絵柄では小さな版でも何千本もの線をひく。線の太さは腐食時間でコントロールし、例えば腐食時間が二〇段階の場合は、二〇種類の太さの線が彫られる。ほんの〇・八ミリの薄い銅版に、隠れた無数の線が複雑に織りなす金属の地下世界を想像すると、そのような世界を作る行為は不可思議で、まるで錬金術のようだと彼女はいう。その錬金術や秘教的なものは、羅入の嗜好に合っているのだろう。

また、羅入は少し吉田良の人形教室に通ったが、石粘土で形を作り、胡粉で仕上げている作品は、そのときに学んだ球体関節人形の作り方がベースになっているという。人形づくりというのは、身体を一度解体して、再構築するようなところがある。それによって、より身体を深く把握することができるのだ。その意味では、羅入にとって、人形づくりの経験は意味があっただろう。

密教を学び僧籍に入る

羅入は、物心ついたころから 死の恐怖、正確には無の恐怖に取り憑かれていたので、自然と宗教や精神世界に興味を持ったという。だが、無を肯定する仏教は恐怖の対象と考え、なるべく近寄らないようにしていた。もっとも現在は、仏教が無を肯定するというのは、間違った解釈ととらえている。また、羅入が三十歳くらいのころに、日に何度も「密教」という啓示が現れ出したが、密教の源流はインドだからと、逃れるようにインドに渡り、ヨガの聖地リシケシのアシュラムなどに滞在した。

そのときは、約一〇〇日滞在した最後の一〇日間、サールナートの日本寺で願かけ行をしたが、それで示された答えも「密教」だったので、腹をくくって、日本で密教の行ができるところを探した。いくつもの寺に問い合わせては断られ、途方に暮れた。だが、空海が伝えた瞑想の「阿字観」体験に行った、東京六本木の不動院の中山恵晶《けいしょう》住職に相談したところ、親身になってくれた。そして、当時高野山真言宗宗務総長だった土生川《はぶかわ》正道《しょうどう》前官につなげてもらった。そんな高僧とは知らずに、ただ、行をしたい思いを手紙に綴り、中山住職に連れ添われて、初めて大霊場高野山へ参り、土生川正道前官に会った。それは、「この世ならざる体験だった」という。

そうして 土生川師の元、高野山準別格本山無量光院で四度加行を修し、真言宗の阿闍梨（僧侶）となる儀式、伝法灌頂《でんぽうかんじょう》を受けて、僧籍に入ったのだ。

これは、なかなかの行動力である。70年代後半以降、日本ではインドブームがあり、多くの人々がインドに向かった。インドにはまる人も多かった。羅入は一〇〇日、三カ月滞在している。だが、その一種の密教修行が、プラスに働き、日本でもそれがつながったという行動力には、驚くものがある。

「根源の門」である作品を生む

だが、羅入は密教を単純にアートに生かそうとしているわけではない。つまり、そこにあるのは、おそらく「根源は何か?」という問いかけであるようだ。というのは、羅入は立体、平面、具象、抽象などさまざまな作品をつくるが、どれも作り手が「根源」（真理、神仏、アニマ、靈など）につながって制作することで、根源の靈威が作品に塗り固められ、対峙した人に作品の奥にある、何かを感じさせる、その人のアニマの琴線を震わせる、「根源の門」である作品が生まれると考えているからだ。

羅入が、その「根源の門」が開くのを激烈に見たのは、戸隠神社で混沌の首メンバー植田昌吾の和太鼓グループ「無音」による奉納演奏に列したときだ。さらに、熊野本宮の大斎原《おおゆのはら》で、自身の「混沌の首」奉納瞑想ライブに際して、夜中に大斎原で瞑想したときだ。大斎原は、踊り念仏の一遍上人が、熊野権現の靈告を受けた靈場で、戸隠神社は平安時代には比叡山、高野山と並び称された修験道の靈場である。

羅入は、靈場を根源につながりやすい「場」と解釈しているが、それは場所のみならず、神木などの植物であり、優れた行者であり、根源的な作品でもあるという。だからこそ、羅入は根源的な作品を作りたいのだ。

この「根源」というのは難しい。真理、神仏、アニマ、霊などと述べているが、おそらく、物事の本質、さらには世界の本質、真実、真理ということなのだろう。アートもしくは表現というものは、無意識にでもそれを目指すもの

★《煌韶春瑞祥芳楽（れいこうしょうしゅんずいしょうほうらく）》2018年、365×260mm、墨・金泥・和紙・パネル

★《双頭姉妹》2001年、175×82mm、エッチング（部分色刷り）

★《憂鬱と祝福の混在》2020年、160×225mm、墨・和紙・パネル

だが、それは自分の表現する「アート」とは何か、を問い続けるずっと先にある。それは、美術でも音楽でも文学でも同様だ。その「何か?」という根源的な問いを投げかけることは、真理に近づこうとする道を歩むことだ。真理に近づけるかは、もちろんわからない。ただ、そのベクトルの強度が作品に強度を与え、芸術性を感じさせるのではないか。

密教系芸術集団「混沌の首」を立ち上げ

羅入は、「混沌の首」をはじめる前、一九九九年から二〇〇七年まで、「gROTTESCO△sEPHIRAH(グロッテスコ△セフィラー)」という劇団を主宰し、作・演出、時に出演をしていた。僧侶になってからの舞台は、すでに混沌の首と似た表現になっていて、自分では儀式として行っていたが、舞台であるかぎり、どこまでいっても虚構としか受け取られないように感じ、舞台の限界と思ってやめたそうだ。

そして本気で根源に向かえる人を対象とする瞑想会を始めた。週二、三回の瞑想会を一年ほど続けるうちに、純粋に瞑想を目的とする人が集まったので、その人たちと劇団のときの役者やスタッフなどを誘い、伊豆の山奥で火を焚き、爆音ノイズの生演奏で夜通し動くという瞑想をした。その手応えから、舞台表現と根源に向かう行為を同一化できると判断し、音を頼んだErehwonの主宰、石川雷太、ダンサーの神林和雄、劇団を共同主宰していた星野純、瞑想会参加者数名に声をかけて、二〇〇八年に、密教系芸術集団「混沌の首」を立ちあげたのだ。

混沌の首は密教をベースに、瞑想者(パフォーマー)と観客の心理効果を考えた構成だ。瞑想会では数時間かけて自分のペースで根源へ向うところを、ライブでは三〇分程度でやる。だから、前もって観想を繰り返し、音の力で観想を強化し、早く根源へ降りられるように作っている。混沌の首の主な活動である瞑想ライブは、これまでに美術館、神社仏閣、ギャラリー、大学、ライブハウス、アートフェスティバルなどで行ってきた。

カオスを通して真理へ

筆者は何度か混沌の首の舞台に立ち会った。それは、生の金属音と電子加工されたノイズ、身体の動き、パ

★《イザナミ》2013年、1500×700mm、石粘土・胡粉 等

★《グロッタの獣》2007年、780×370mm、石粘土・胡粉・腸・真鍮・石膏・金粉等

★（中央奥）《日の生まるる極 荘厳し花拝するあまねくの御子》2014年、打ち掛け・石粘土・胡粉等
（中央手前）《艮鎮めの御子》2015年、樹脂粘土・木・アクリル塗料等
（左右）《LOVERS》2016年、2000×900mm（一枚のサイズ）、弁柄・布

★「羅入個展・識閾上の死」（2016年）gallery green & gardenでの展示風景

フォーマンスによりパーカッシヴなエネルギーが混じり合い、映像を含めて、テクノロジーと自然、原始が重なり合う場だ。瞑想もアルファ波を発するという点からは、音楽もノイズも含めて、すべて波、波長ということになるのかもしれない。読経も同様、音と気の波だろう。

そして、混沌の首の音とパフォーマンスは、時には過激で暴力的とも感じられるが、その激しさは、根底にある瞑想と精神の静けさを背景にしているのだろう。儀式でもあるパフォーマンスを入口に、カオス（混沌）を通して、おそらく真理に向かおうとするのだ。

羅入らは、二〇一九年の秋には、混沌の首十周年記念企画として、京都の文化の中心地に座し平安神宮と京都市美術館に囲まれたロームシアターの中庭で、Erehwon、LINEKLAFT、金属太鼓＆サンダーソニアを招き「靈的革命／サイキックレフト」と銘打った野外ノイズイベントを行った。

また、羅入自身は二〇一一年、3・11の原発事故による被曝を避け、大阪へ引っ越した。その後に京都、現在は滋賀に住んでいる。3・11以降、反原発デモや反原発をテーマにした美術展などを企画した。原発事故は羅入にとって、初めて国というものに命を脅かされた経験で、それはおそらく戦争のようなものだ。目の前で人が殺されているのに、黙して花を描いてはいられない、「殺すな」と叫ばなければならない、という切羽詰まった危機感に突き動かされ、自分をある意味曲げて行動せざるをえなかったと回想する。

密教をベースに

いまは、のびのびと行をしながら制作できるところに移り住み、国内外問わず活動の範囲を広げたいと考えている。そして、混沌の首では、ペイガンミュージックのフェスティバルやアニマの祝祭、舞踏のフェスティバルなどにも参加してみたいという。

密教をベースにした表現という、まったく独自の世界を生み出している羅入。瞑想によって精神世界と現実をつなげた作品と空間をつくり出している。その活動からは目が離せない。

（志賀信夫）

★羅入展示予定▷「選抜 京都墨彩画壇秋季展2020」2020年10月6日〜11日、場所／京都文化博物館
▷ドイツ・フランクフルトアートフェア週間「Japan Art Festival 2020」招待出品、
2020年10月29・30・31日・11月1日、場所／マルティムホテル フランクフルト
※詳細は、羅入HP http://kondon.org/laju

★《夢のお告げ》2019年、410×318mm、油彩・キャンバス

NARITA Aki

成田　朱希

◉文＝志賀 信夫

★《スカートの下の劇場》2020年、727×606mm、油彩・キャンバス

スカートの下の劇場には、
無数の私的性的物語が秘められている

★《夕暮れまで》2019年、410×318mm、油彩・キャンバス

★《道化師の夢》2019年、530×455mm、油彩・キャンバス

★《豹変（豹紋）》2019年、410×318mm、油彩・キャンバス

東京で出会ったトラウマ的映画

成田朱希は、青森県七戸町出身。小学校の六年間のうち、青森と東京の同じ学校、同じクラスを四度、往復転校をさせられていたために、どこにも馴染めなくなって、自分の空想世界を作るようになった。

小学二年のときが東京へ最初の引越しだったが、東京は何もかもが恐かったという。真冬なのに、女の子がみんなスカートにハイソックス姿だったのに驚いた。そして、東京に着いてすぐ連れていかれて、初めて観た、新宿のロードショー館での『キングコング』の迫力に感動した。

また、当時の東京12チャンネル（テレビ東京）は、午前中から凄い映画を放送していて、トビー・フーパーの『悪魔のいけにえ』（一九七四年）やハル・アシュビー監督による狂言自殺の『ハロルドとモード　少年は虹を渡る』（一九七一年）、奴隷制を描いた『マンディンゴ』（リチャード・フライシャー監督、一九七五年）、ヤコペッティの『世界残酷物語』（一九六二年）などをわけもわからず観て、怖がっていた。そういったトラウマ的映画にまず影響されたという。

そして、青森から親戚を頼りに上京した先が、ジャズバーのようなレストランの二階だったために、住まいには18禁的、魅惑的な大人の資料、雑誌類が常に散らばっており、それらを手本に模写していた。

また、六歳上の兄と仲良しだったので、高校生の兄が魅了された作家やアーティスト、例えばハンス・ベルメールやグスタフ・クリムト、澁澤龍彦、ピンク・フロイド、キング・クリムゾンなどを、早くから教えてもらっていた。いまは人形作家の奈里多《なりた》究星《きゅうせい》となった、その兄の影響はいまも大きいという。

ヨシダ・ヨシエとの出会い

二〇歳のころ、銀座の鎌倉画廊で、美術評論家のヨシダ・ヨシエと出会う。緑川俊一の個展に行ったら、たまたま来ていて、それが初対面だった。ヨシダ・ヨシエは当時、着流しにシルクハットとクラシカルな姿で、大きな指輪をした手でゴロワーズを吸いながら焼酎を飲んでいて、そばには画商、エッセイストで現在コレクションでも有名な洲之内徹《すのうちとおる》もいた。

そして、「まあ、なんて、美術界とは、セクシーで迫力で、デカダンなのかしら!」と心から思った。このころ、ヨシダ・ヨシエは六〇代半ばで、若い彼女にフラれたばかりの傷心だった。そこへ、もっと若く恐れ知らずの成田が現れたので、面白がって、ヨシダ・ヨシエ流「社会科見学」へずいぶん連れて行かれたという。それからヨシダとは、亡くなる晩年（二〇一六年）まで、迷惑かけたり、かけられたりする関係だった。そして、成田の簡易結婚式には、とてもお洒落をして来て、「出会いとは実に摩訶不思議なもの、成田朱希の生物学的父上はいらっしゃるでしょうが、私は朱希の因縁的理解者であります」という挨拶に、成田はこっそり涙を流した。

「スカートの下の劇場」

成田の作品は、ほとんど常に女性を描き、赤などの色彩とともに目を奪い、強烈なエロティシズムを感じるものが多い。だが、どこかに暗さ、一種の闇を感じさせるところがある。それはどうしてだろうか。

成田の作品に、「スカートの下の劇場」というタイトルがつけられたものがある。これは、周知のように、社会学者でフェミニスト、上野千鶴子の一九八九年の著作から取ったものだ。それが成田にとっては心象風景であり、そのため何度もタイトルにしているという。それは、成田自身のスカートの下にも劇場があって、その劇場では、無数の私的性的物語がある

女性の内側にうごめく
無数の物語からにじみ出す
闇を感じさせるエロティシズム

★《石榴》2019年、455×380mm、油彩・キャンバス

からだ。観客のいないスカートの下の劇場で、女だけの王国が成立するのだ。

その劇場には、幼女から老婆にいたる女性たちへの差別や迫害、強制、奇習など、フェミニズムの歴史やナルシシズム、そして私的な無数の性的物語があり、それは成田の描いたスカートの下の襞にも充満しているという。

私たち男性は、そのスカートの下を見ようとする。そこには下着に包まれた性器がある。だが、女性器そのものよりも、パンティが見えたこと自体によって、興奮が高まる。つまりスカートと下着という二重の障壁、扉があるのだ。和装の時代、そしてパンティが発明される前は、それは一重だったはずだ。だが、障壁が増えることによって、価値が高まったともいえる。高価なものは丁寧に何重にも包装されるのが常である。男性と女性では、そうした下着に対する意識が異なる。

男性の下着と女性の下着の大きな違いは、飾るという要素だろう。フリル、ギャザーやレース、リボンやボタンなど、そして色彩。種類も男性にはないコルセット、ガーター、ストッキング、パンティストッキング、シュミーズ、キャミソール等々実に多様である。この布の生み出す世界は、舞台の緞帳とも共通点があるかもしれない。女性の下着はその意味でも劇場的に思える。この下着の世界は、いずれ深追いしてみたい。

ニキ・ド・サンファルの衝撃

成田朱希は、上野千鶴子が東京大学教授になる前、ニキ美術館長、二樹洋子（増田静江）の紹介で会っている。成田によれば、二樹洋子は五〇歳のとき、ニキ・ド・サンファル（一九三〇〜二〇〇二年）の小さな版画を見た瞬間、脳天から雷を落とされたような衝撃と、感動のファンファーレが鳴り響いた。それからは、無我夢中でニキ探求と作品収集、そして大恋愛のごとく、ニキへのラブレターを送り続けたという。さらに経営していた飲食店をたたみ、そこにニキ作品専門のギャラリー「スペース・ニキ」をオープンさせた。やがて念願の初対面をパリで果たしたときに、ニキは洋子の手を取り、「ねえヨーコ、世が世なら私たち、魔女狩りにあって火炙りね！」と言ったそうだ。

このとき、ニキが洋子の本名「シズエ」をうまく発

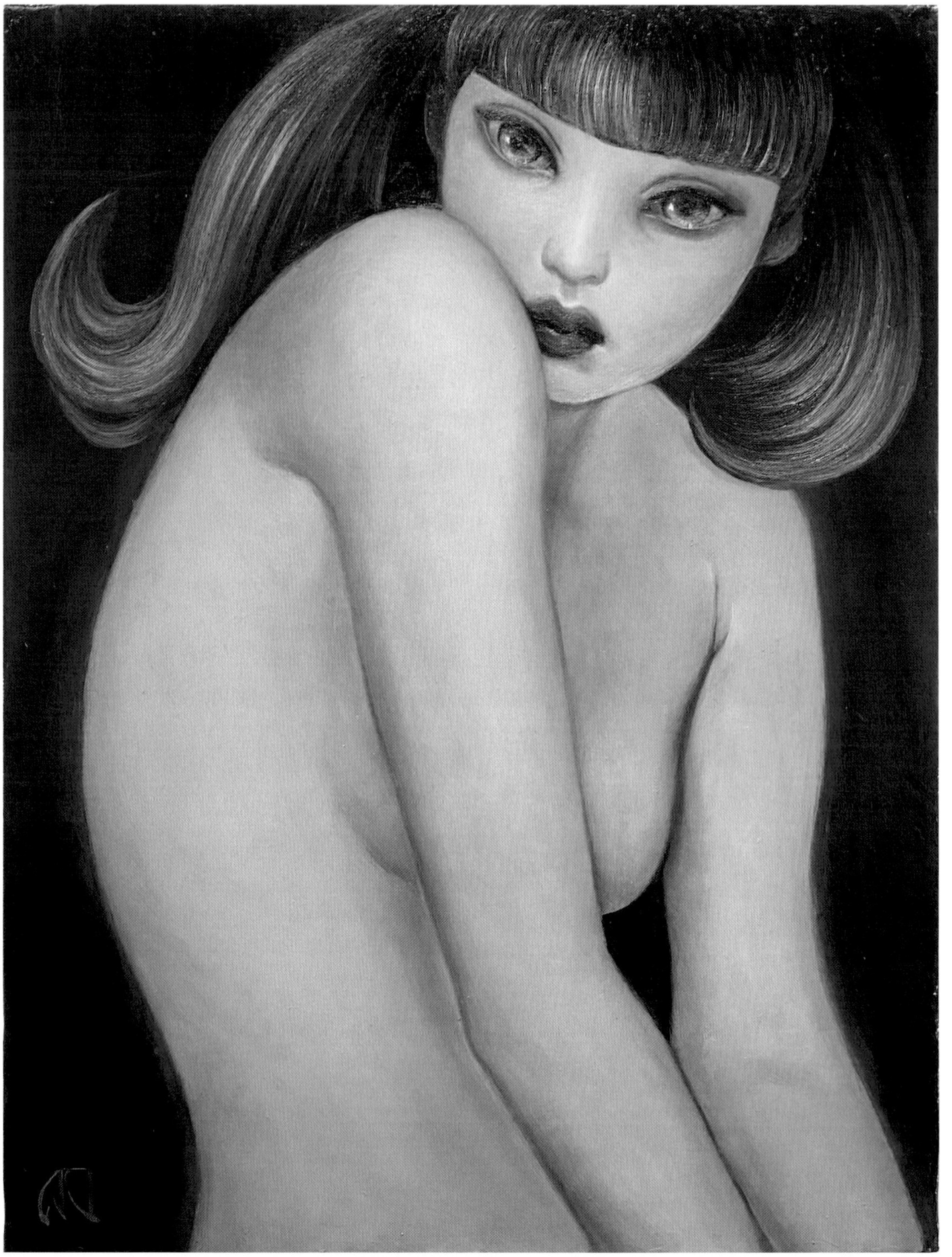

★《罪悪感》2019年、410×318mm、油彩・キャンバス

音できなかったことから、「ヨーコ」という小野洋子により世界でよく知られる名を使って、姓は二キ（二樹）としたことで、「二樹洋子」が誕生した。そして洋子は、ついに栃木県那須町に大きな私設美術館を建ててしまった（二〇一一年閉館、現在、藤城清治美術館）。上野千鶴子も二キの研究者で大ファンだったので、二人は少女のように盛り上がっていたという。成田は洋子に出会って初めて二キ・ド・サンファルを知ったが、このときに上野と洋子が語った二キ作品のことが、いまも成田の心に刺さっており、影響されていたことに、今回、改めて気づいたという。

その作品とは、一九六六年にストックホルム近代美術館で発表された『ホーン』という、妊婦のように腹の膨らんだ巨体女の巨人像。二キには「ナナ」という代表的なキャラクター作品があり、この作品は最大級の「ナナ」像。哺乳類史上最大のクジラ並みの全長で横たわり、出産のように両脚を広げて仰向けに寝転び、性器部分には玄関口のような穴があり、そこから観客たちが体内へ出入りできる巨大女体像になっていた。内部は一回りできるよう、途中途中に小さな映像館があったり、長いコンベアのようなものに空ビンが羅列され続々とリサイクルされる仕組みがあったりと、色々な趣向を見て体験しながら、胎内めぐりができる。この『ホーン』の性器の玄関は、左右二つに分かれて入口と出口になっており、この作品の中でだれもが生まれ直しと生まれ変わりができる。

展覧会中『ホーン』の股からは行列が絶えず、評論家やマスコミは、「女ガリバー」、「ヨナのクジラ」、「世界最大の売春婦！」などとスキャンダラスに激賞した。その後二キは、師匠で恋人のジャン・ティンゲリー（一九二五〜九一年）とローマ郊外の広大な土地に、『タロットガーデン』（一九九八年）という夢の宮殿を建設した。成田はここも洋子について訪れたが、目が眩む不思議の国の異界世界だったという。そして、自分が生まれた一九六六年に、すでに『ホーン』という偉大な作品があったことを知って、二〇代だった成田は、少なからず絶望し、何を描くべきかと悩んだという。

そのころから一〇年近く、成田は絵を描かなかった。このような経緯から、成田は上野千鶴子の『ミッドナイトコール』の文庫版（一九九三年）の装丁と装画を

★《薔薇色》2020年、535×380mm、カラードローイング

担当している。

筆者も、二樹洋子が美術館を開く前、上野にあったスペース・ニキを何度か訪れて、二樹にも会っている。そして、当時としては珍しく、女性が自ら発信するエロスに驚いた。また、ニキの射撃絵画にも注目した。絵の具を銃でキャンバスに撃つ絵画という、アクション絵画、パフォーマンスといえるものだ。ニキは性的トラウマも有名だが、巨大な『ホーン』の写真はたびたび男性雑誌などにも取り上げられていた。全長二七メートル、幅九メートル、重さ六トンの巨大な作品で、スウェーデン語で「彼女」の意味。展覧会会期の三カ月で取り壊されたというから、残念だ。ニキの作品は、ポップな色の組み合わせが目を引き、当時、草間彌生が頭に浮かんだ。動く彫刻で知られるジャン・ティンゲリーの作品も、ジャンク性もあってとても個性的だったが、ニキのモデル出身の美しさも有名だった。

アーティストたちとの交流

成田はずっと死を意識した作品づくりをしてきたが、自立して結婚、出産などの生活によりいったんその世界から遠ざかった。だが、現在、再びジョルジュ・バタイユの「死の魅惑がエロティシズムを支配している。エロティシズムとは死に向かう暴力であり、禁止に対する侵犯である」を指針にしているという。

成田は、多くの著名アーティストと出会っている。写真家の細江英公氏とは、ヨシダ・ヨシエを介して、一九八八年、伊豆の池田二〇世紀美術館の「薔薇刑」と「鎌鼬」の展覧会（「写真・細江英公の世界」展）で出会っている。そして成田が絵の写真を見せたら、細江が突然「買った！」と言った。少女が函の中で死んだように閉じ込もっている絵で、それを細江の四ッ谷のスタジオへ持参したら、好きな写真を選ばせてくれて、「鎌鼬」の一枚をもらったという。そして、二〇〇八年にヨシダ・ヨシエをモデルにした細江英公の写真集『原罪の行方　最後の無頼派ヨシダ・ヨシエ』（窓社）には、妊娠中の成田が友情出演している。

また、秋山祐徳太子は、以前から交流があったが、銀座のスパンアートギャラリーに展示した鉛筆画を凄く評価してくれて、親交を深めた。平賀敬、岡

★《華と修羅》2020年、565×910mm、油彩・パステル・インク・ケント紙 他

本信治郎などとも交友があった。残念ながら、細江以外は、この数年のうちに亡くなっている。

筆者は晩年の数年間、ヨシダ・ヨシエにインタビューしたり、最後の病院を訪れたりと、多少の交友があった。ヨシダは評論家の枠を超えて、六〇年代から現代美術の展覧会を企画し、ハプニング、アングラといわれる前衛美術の擁護者であり、証人でもあった。また、戦後すぐは、丸木夫妻の『原爆の図』を抱えて地方を回って展覧会をしたことでも知られる。筆者によるヨシダのインタビューは本誌の姉妹誌トーキングヘッズ叢書（TH Series）No.39に掲載されている。

成田は影響を受けたアーティストとして、ひさうちみちお、高野文子、寺山修司、エゴン・シーレ、エルテ、ハンス・ベルメール、多賀新、真島直子、金子國義、荒井由実、ニーノ・ロータ、ニキ・ド・サンファル、岡本神草などデロリ系の画家たち、そして、映画評論家の町山智浩の名前をあげた。また、好きな映画は大島渚の『少年』（一九六九年）だという。

漫画家の高野文子は『絶対安全剃刀』（一九七九年）などの作品で知る人が多いだろう。筆者は『JUNE』誌で登場したときから追っている。だが、ひさうちみちおは意外と知られていないかもしれない。同時期、自販機本隆盛期のエロ漫画雑誌『漫画大快楽』で見つけて、はまった。かっちりしたロットリングの線で描かれたイラスト的ともいえる画風に、独特のユーモアとシュールさ、そして強いエロスを持った漫画家だ。後に俳優としても活動している。岡本神章の絵の影響は成田の作品に強く感じられる。多賀新、真島直子はいずれ本誌で取りあげたいと思っている。

成田は今後も個展やアートイベントを続ける予定だ。現在、占い師のムンロ王子監修でタロットカードの原画を制作中。そして、漫画も描いてみようと思っているという。五月一九日から三〇日の日本橋・不忍画廊での個展はコロナの影響で前半はアポイント制となったが、九月のパークホテル東京でのアートフェアにも出品を予定している。コロナが早く終息して、美術家たち、表現者たちが以前のように、活躍できるときを期待している。（志賀信夫）

※成田朱希新作展「春と修羅」は、2020年5月19日〜30日に、東京・日本橋の不忍画廊にて開催された。

●文=沙月樹京

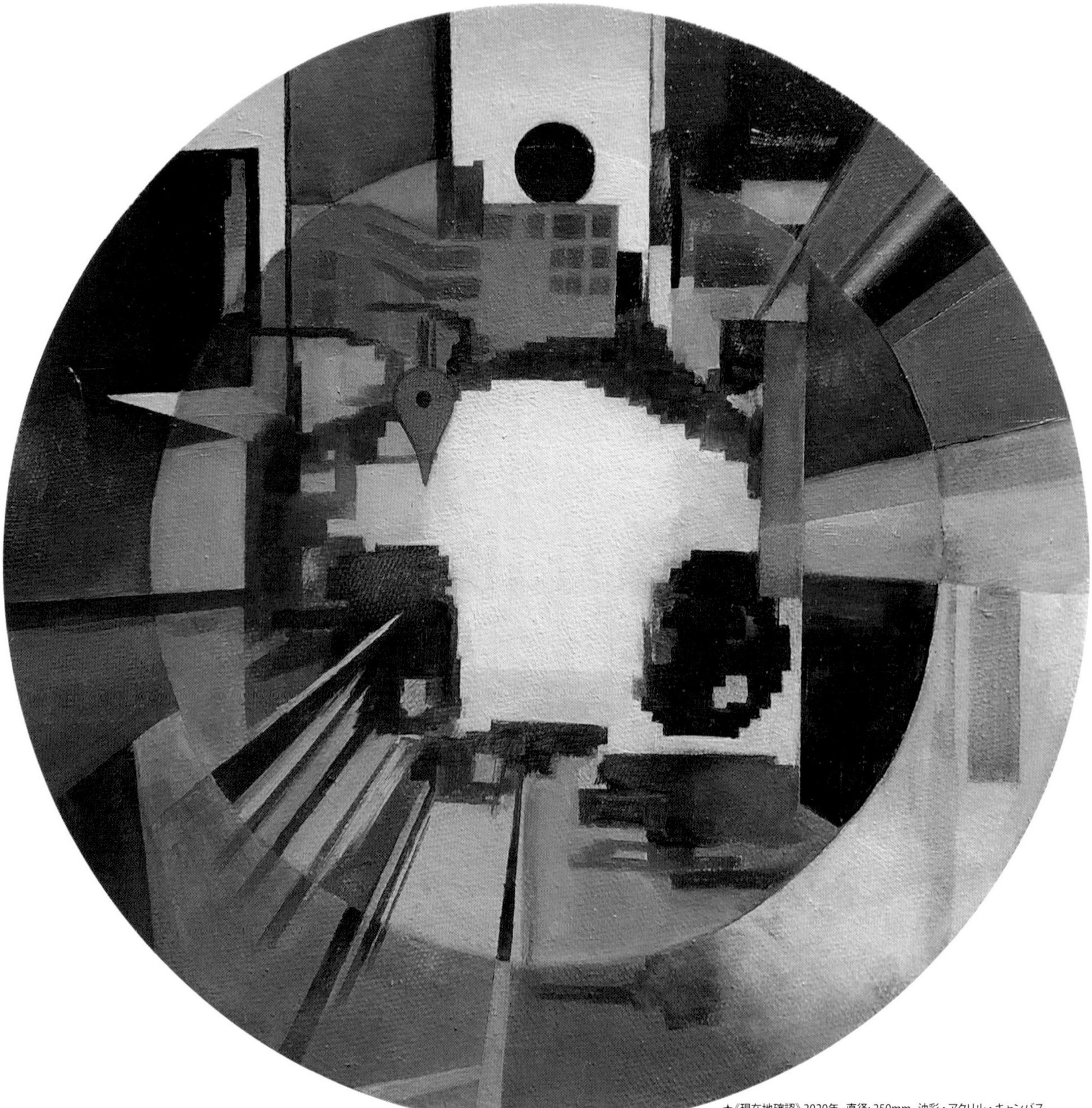

★《現在地確認》2020年、直径: 250mm、油彩・アクリル・キャンバス

電脳的世界へ
ダイブすることで見える
奇妙に歪んだ光景

SAWADA Moco

サワダ　モコ

★《いつまでも線にしがみつく》2020年、160×273mm、油彩・アクリル・キャンバス

★《昔は川だったらしい》2019年、333×220mm、油彩・綿布・パネル

★《セーブポイント》2020年、150×150mm、油彩・アクリル・キャンバス

★《鋭角の曲がり角》2020年、160×273mm、油彩・アクリル・キャンバス

★《eviction》2019年、158×227mm、油彩・パネル

★《山と虚像》2019年、273×455mm、油彩・綿布・パネル

★《彼女と、彼女に関係のない事象》2020年、455×530mm、油彩・キャンバス

★《空に溶解する》2020年、830×1000mm、油彩・アクリル・綿布

★《目的地付近》2019年、220×333mm、油彩・パネル

★《ゲート》2019年、273×455mm、油彩・綿布・パネル

ネット社会において少女が実感しているリアルとは何か？

★《少女と、少女に関係のない風景》2019年、410×530mm、油彩・キャンバス

サワダモコは、ヘッドホンをつけた少女の絵を描く作家として、まず知られるようになった。しかもヘッドホンをした大きな目の女の子の上に、ときに画像処理のノイズのようなものが載せられ、デジタルっぽさはさほどないものの、現実と遊離した電脳的な世界に半分身を投じているかのような感覚がその作品からうかがえたりした。

そのサワダが昨今描いているのは、ネットのストリートビューの表示を模した作品群。電脳的世界へのダイブをさらに推し進めて行き着いた境地だと言えよう。奇妙に歪んだ光景は、われわれがネットを介して得ている「現実」の姿であり、図らずも、新型コロナでステイホームを余儀なくされたわれわれは、こうしたネット上の「現実」に、より依存せざるをえなくなった。

サワダはこのような光景の中にリアルを追究するとともに、形や色で大げさにデフォルメすることで幻想をまぶす。その絵は、サワダならではのファンタジー世界だと言ってもいいかもしれない。ストリートビューでは人物の顔は消し込まれるが、サワダの作品では少女の姿がはっきりと描かれることもしばしばだ。その少女は、このファンタジー世界に完全に取り込まれてしまった存在なのだろうか。

このページに掲載したモナリザを模した作品は、ストリートビュー的な絵ではないが、タイトルが象徴的だ。背後に広がるごくふつうの風景は、「少女に関係のない風景」だと言うのだ。サワダがリアルというものをどのように捉えているか、端的にうかがえる作品なのである。（沙月樹京）

※サワダモコ個展「仮想楽園計画」は、2020年3月28日～4月8日に、大阪・中崎町のSUNABAギャラリーにて開催された。

◉文＝並木誠

★《つむぎだすこころ》2020年、333×242mm、絹本着彩

YAMAMOTO Arisa

山本　有彩

★《雨が降るようなリズムで》2020年、273×220mm、絹本着彩

★《それでも夜は明ける》2020年、530×410mm、絹本着彩

薄膜的、空気遠近法的な質感と明晰な線との均衡

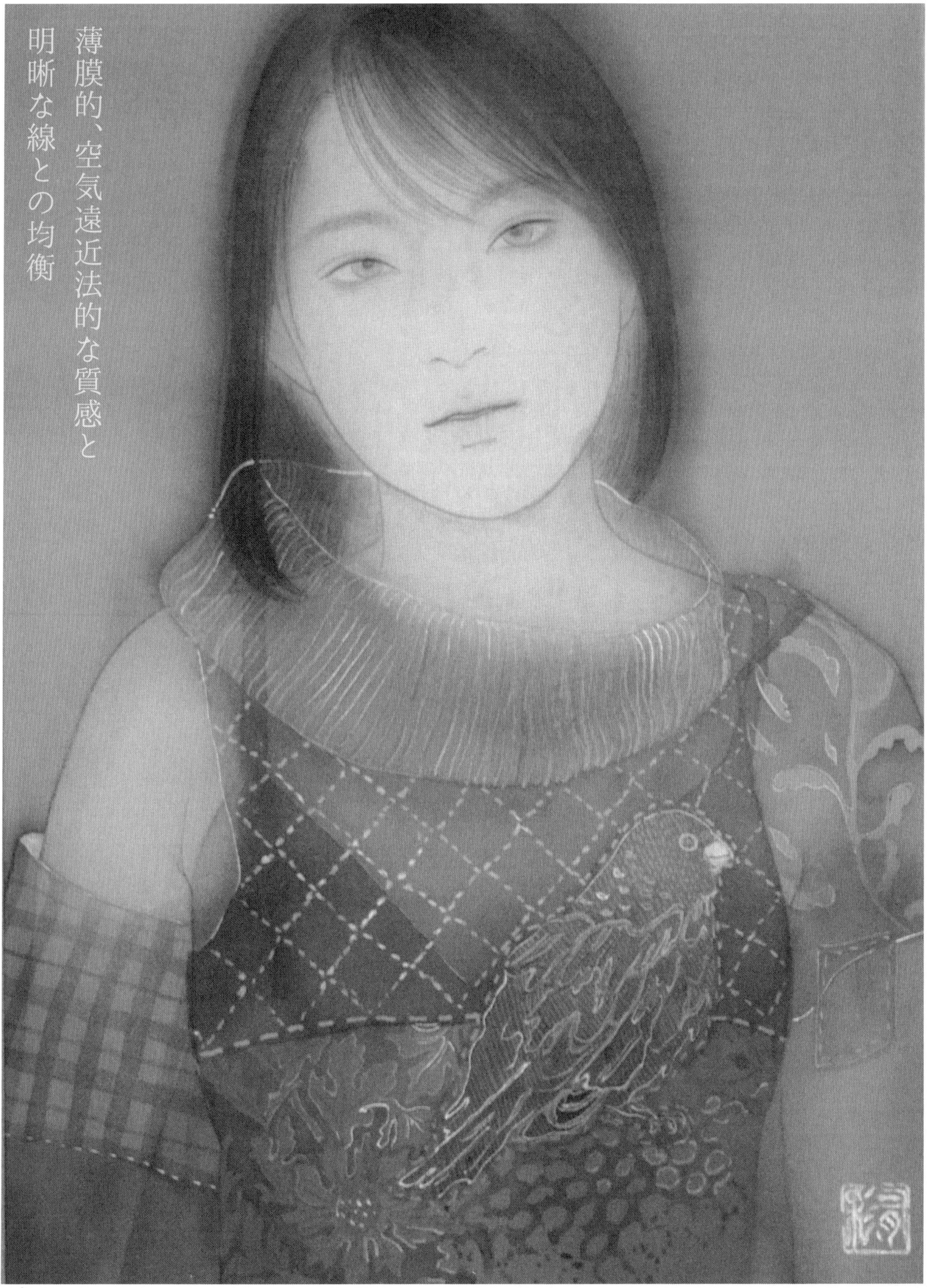

★《水のようだ》2020年、333×242mm、絹本着彩

★《分け合う為の果実》2019年、455×380mm、絹本着彩

★《潰えぬ瞳》2019年、333×242mm、絹本着彩

★《なんでも知ってる》2018年、530×333mm、絹本着彩

★《日々のこと》2019年、530×333mm、絹本着彩

★《変わりゆく自身を解くための幽室》
2019年、820×318mm、絹本着彩

★《ハレの日に》2019年、333×242mm、絹本着彩

一見静謐だが、耽美的な狂気と
清新なエロティックさを秘めた美人画

★《それでも、君が》2019年、333×242mm、絹本着彩

バロック期の作曲家、ジュゼッペ・タルティーニの作品に「悪魔のトリル」という俗称のヴァイオリンソナタがある。タルティーニが夢のなかで、悪魔と思しき人物が一心不乱に演奏する、まさにデモニッシュで危険な香りを秘めた旋律を聞き、それを必死に記憶し、記譜した曲であると言われている。超絶技巧で激しい曲想。山本有彩の美人画は、一見静謐で清澄だが、そこにはタルティーニのその曲のような耽美的な狂気と清新なエロティックな感性が満ち溢れている。

日本語には、美しい女性を形容する言葉、例えば、優雅であるとか、清楚とか、たおやか、しなやか、婉容《えんよう》、優姿《やさすがた》など、情趣豊かな表現が多数ある。山本有彩の美人画も、これらの形容のような、女性の様々な姿態や心理的な内面的描写に富んでいる。例えば《思慮》(2019)では、右手で耳のうしろに髪をかけあげる聡明な女性の知的で凛然とした表情が美しい。白いブラウスのデコールが流麗な《それでも君が》(2019)は、現代的な見返り美人が切れ長の目で語る、声にならないような想いを湛える表情が艶やかである。《潰えぬ瞳》(2019)では、ややシニカルな視線の謎掛けのような表情を鑑者それぞれが想像力を働かせて個別に作品と対話するような親密さが、心地良くもある。

山本有彩は、石川県在住。2017年に金沢美術工芸大学大学院の絵画専攻日本画コースを修了。アカデミックな日本画の技法を習得し、日本画的な伝統を踏まえた上で、身近なアニメなどのサブカルチャーをやや距離をもって俯瞰しながらリミックスして、現代的な女性の風俗画を描き出している。それはいわば、加山又造の現代における新琳派的なモダンな日本画の表現や、池永康晟のマニエリスティックな耽美的な現代美人画の表現に擬えられるかもしれない。あるいは、イラストレーターの江口寿史のストリートスナップのような現代の若い女性のポップな図像表現にも関連があるかもしれない。

山本は、東京の佐藤美術館、銀座スルガ台画廊や東京・信濃町のアートコンプレックスセンター等での個展の開催やグループ展に参加。「Wonder seed 2014」入選や同年の「第6回トリエンナーレ豊橋

★《思慮》2019年、333×242mm、絹本着彩

星野眞吾賞展」入選（審査員推奨）などの実績がある。

２０２０年2月22日から3月8日まで行なわれた山本有彩個展「薄膜と均衡」では、絹本着彩のなせる触覚的な感覚を活かした気品あるテクスチャーに精彩が感じられた。出展作の《つむぎだすこころ》（2020）では、空気遠近法の靄と硬質な線と怜悧な瞳に宿した儚げな存在感に、何処かで揺れる山本有彩の心持ちが投影されている様で印象深い。また浮世絵の大首絵的な手の表現なども卓越した表現だ。《雨が降るようなリズムで》（2020）と《水のようだ》（2020）に見える、緑がかった空気感と朧気でアンニュイな雰囲気も美妙。こうした清新なエロティシズムの色香が瑞々しい。ちなみに、この個展のタイトル、「薄膜と均衡」とは、靄のような、〝薄膜〟的なスフマート、つまり空気遠近法的な質感（雰囲気）と明晰な線の、まさに〝均衡〟＝バランス的対比を意図しているように思えた。

山本の引く妙なる線には、清新な響きが込められており、日本画ならではの絹本着彩に対する、感覚的、触覚的なアプローチに富んでいる。画趣は耽美的であり、岡本神草、北野恒富、山本芳翠につらなる系譜に在ろう。また近代のラファエロ前派のバーン・ジョーンズやウォーター・ハウス辺りに彼女の美術史的な好みや特異的な参照点があるように思う。また同時に文人画や中国の古典画をも参照している。

彼女の耽美的な美人画の魅力は、例えば、竹久夢二式美人を想起させる《日々のこと》（2019）やクラナッハ的裸婦表現が艶やかで、手元の猫の描写が竹内栖鳳《斑猫》を思わせる《なんでも知っている》（2018）、萩尾望都の『ポーの一族』を彷彿とさせるであろう《分け合うための果実》（2019）の濃密な群像表現の妙など尽きることがない。作品のタイトルも多分に感覚的であると推察されるが、それは謎掛けのようでも啓示のようでもあり、作品の背後にある抽象的概念性へと誘う。

山本有彩の画業は、サブカルや文人画などのロウアートから、ハイアート的な各要素と日本画の伝統のアマルガムとして変容を遂げる途次にある。今後も妖しく我々をタルティーニの「悪魔のトリル」のように誘惑してくれる事を切望する。

（並木誠）

※山本有彩 個展「薄膜と均衡」は、2020年2月22日〜3月8日に、東京・外苑前の清アートスペースにて開催された。

★《無明に捧ぐ》2014年、約290×210mm、
線描・点描による細密画、ケントボードに
ラピッドグラフ、丸ペン、墨汁

HANAWA Kyoko

塙　興子

●文=志賀 信夫

★（左頁）《帰郷》2015年、約290×210mm、
線描・点描による細密画、ケントボードに
ラピッドグラフ、丸ペン、墨汁

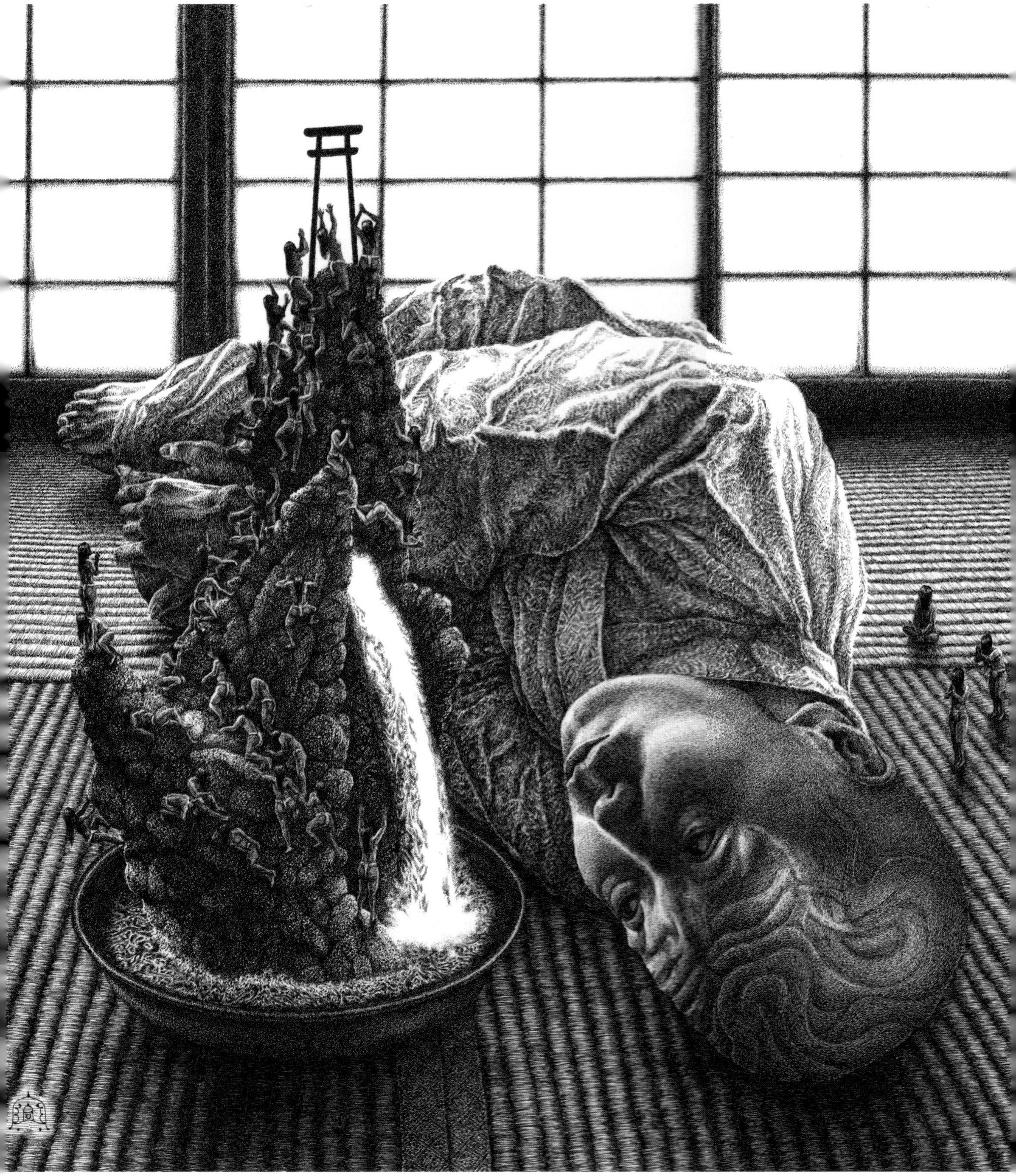

★《受肉の泉Ⅱ》2014年、約250×250mm、
線描・点描による細密画、ケントボードに
ラピッドグラフ、丸ペン、墨汁

介護の辛い気持ちをぶつけて
自然に描きあげた細密画で、
「やっと自分の絵が描けた！」と思った

★（右頁）《受肉の泉Ⅰ》2014年、約290×210mm、線描・点描による細密画、ケントボードにラピッドグラフ、丸ペン、墨汁

★《つゆの窟（いわや）》2014年、約250×300mm、《受肉の泉》に移る前段階の線描・点描（水木しげる作品の背景に近い手法）、ケント紙にラピッドグラフ、丸ペン、かぶらペン、墨汁

★《雨は、私》2015年、A4サイズより小さい、線描・点描による細密画、ケントボードにラピッドグラフ、丸ペン、墨汁

アングラ演劇、ゴールデン街、アダルト誌の挿絵などの遍歴と、トラウマを感じさせる細密画

ギャグマンガを描いていた中学時代

塙《はなわ》興《きょう》子《こ》の作品に出会ったのは、東京・後楽園で開かれた「アウトサイド・ジャパン」展だった。これは櫛野展正の企画による、独自の世界を生み出す在野のアーティストたちを集めた展覧会で、本誌でもfile.21でレポートしている。

そのなかで際立つ技術によるモノクロの細密画の技法で、グロテスクだが、どこか悲しみにあふれた奇妙な作品に引き込まれた。胸を開く身体は、病床にあるのか、しかしその胸の穴は、どこか別の場所につながるブラックホールのようでもある。このような奇態な作品が集まった展覧会のなかで、塙興子の作品は、地味ながら妙に輝いていたのだ。そのため、すぐにコンタクトをとった。その後しばらくたったが、三人展が開催されることを知ったので、その不思議な世界にもっと触れたいと思い、今回取り上げることにした。

塙興子は、子どものころは、普通に絵を描くのが好きな子だった。父親が買って来る鉄腕アトムや『少年マガジン』『少年サンデー』『少年キング』などに夢中になり、マンガばかり読んでいて、『ガロ』などの劇画誌もときどき父親が読んでいたので、覗き見していた。

塙の暮らしていた家は、著名な建築家、篠原一男の設計した美しい建築だ。一九六一年に建てられた「から傘の家」という篠原の代表作の一つで、正方形の屋根の中央から梁が放射状に伸びる傘のようなデザイン、襖の絵は朝倉摂で、建築史に残る住宅遺産である。

塙は、美術を志すというより、完全にマンガ家になりたいと思っていて、中学時代は、家庭科教師が

★《潮騒》2015年、ハガキサイズよりひと回り大きい、線描・点描による細密画、ケント紙にラピッドグラフ、丸ペン、墨汁

主人公のギャグマンガを描きクラスメイトを笑わせるのが楽しみだった。その流れで女子美術大学付属高校に入ったが、美術を学ぶより、アングラカルチャーの洗礼を受けに行ったような感じだったという。

高校・大学ではアングラカルチャーに熱中

当時はアングラの香りが残る七〇年代末、塙は、それまで知らなかったロック、天井桟敷や紅テント、黒テントなどのアングラ芝居、ジャン・ジュネ、ジャン・コクトー、ケネス・アンガーなどの映画に触れた。有名なドラァグクイーン、ディヴァインの存在に触れたのもこのころで、王道のカルチャーよりも、もっと庶民に近い生々しい表現に魅かれていった。

高校でも、授業中にゲイ雑誌『薔薇族』や『さぶ』が回って来て、学校はマイナーなカルチャーを教え合う場だった。そして高一のとき、近所の本屋でつげ義春の劇画に出会ったことは衝撃的で、後々まで影響したという。

女子美術大学の専攻は洋画科の版画コース。高校からの推薦入学だったので、さほど情熱はなく、エッチングやリトグラフなどやっていたが、女子だけ二〇人の少人数で基礎をやるのが退屈だった。恋愛に夢中で、遊びたかったし、アングラ芝居も好きで、街をさまよって、世の中の隅々まで知りたい塙には、あまりにも刺激が少ない環境だった。

高校のときから劇団黒テント（当時は68／71黒色テント）の講座に通っていたので、大学入学から一年ほど、黒テントで演技を勉強し、佐藤信の演出や斉藤晴彦の演技を生で見てわくわくしていた。俳優になるつもりはなかったが、芝居は一つの自己表現として魅力的だったそうだ。

その芝居への熱意がひと段落したところで、ファッションの専門学校、セツモードセミナーに通い始めた。おしゃれが好きだったし、大学での作品制作よりのびのびしていて、アングラ劇団のような泥臭さはないが、それはそれで楽しい学校だった。そんなわけで、大学にはろくに通わなかった。同じ時期に、寺山修司の演劇実験室・天井桟敷にも出入りするようになった。

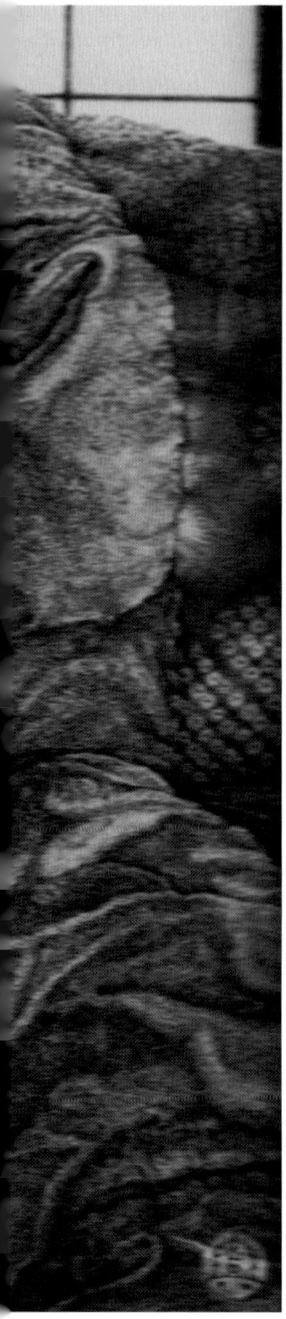

夜は新宿のナイトクラブや赤坂の外人バーでホステスのバイトをしていたので、学生にしては豊かな生活をしていた。

大学二年のときの大失恋が打ちのめされるほど大きなショックだった。相手がファッションデザイナーを目指して着々と道を切り拓いていたこともあって、いろんなことが突然不安になり始めた。それで、ほとんど衝動的に大学を中退して、相手の目指す業界により近い文化服装学院に入った。表面的な目的は手に職をつけることだったが、就職する気持ちになったことは一度もないという。あわよくば相手と再会したいという思いがあったが、超多忙な学校生活だったので、失恋の辛さを忘れるためには最適な時間の過ごし方だったのだ。

その時代は、女子美術大学などからアングラに走る人たちは結構多かった。舞踏をみても、土方巽の元で活躍した女性舞踏家もそうで、一人アングラに入ると友人なども芋づる式に参加することもあった。土方の元に来た、ある美術の女子大生は、気がついたらショークラブで裸で踊っていたという。舞踏やアングラ芝居には、ちょっとそんな人買い的、というと語弊があるが、そんなところがあった時代でもある。

天井桟敷で衣装を担当

高校の同級生で大学でも同期だった友だちが、天井桟敷の映画『草迷宮』（一九七九年）の娼婦役で出演することになった。それで、舞台美術を手伝わないかと、声をかけてくれた。『草迷宮』の大道具の絵を描く塙の横で、すでに有名な劇画家の花輪和一が、逆さ吊りの妊婦の絵を描いていたそうだ。これは月岡芳年の絵に基づくものだろう。

その後、文化服装学院に進んでからは、舞台美術から舞台衣装の手伝いに移行した。当時の天井桟敷の拠点は麻布十番にあった。そこは表は真っ黒に塗られた喫茶店だが、奥に作業場や稽古場があって、塙はたいてい作業部屋でミシンを踏んでいた。どの部屋も真っ黒に塗られていて、二階に住んでいたのは、音楽担当のJ・A・シーザーだった。なお、周知のようにシーザーは寺山死後、劇団万有引力を立ち上げて、いまに至る。

塙は、学校が終わった後、夜に通っていたせいか、寺山修司にはめったに会えなかったが、たまにふらっと出てきて、スタッフや劇団員たちと談笑したり、ピンボールに興じているのを眺めていた。もう体調もあまりよくなかったころだった。ちなみに、寺山は一九八三年に亡くなった。

その年、一九八三年の『毛皮のマリー』リバイバル公演（一九六七年初演）は、美輪明宏主演で衣装はコシノジュンコ。塙はアシスタントとして天井桟敷から派遣され、青山のコシノジュンコの事務所に通って衣装を製作した。そして寺山の追悼公演となった、一九八四年のパルコ劇場の『青森県のせむし男』（一九六七年初演／天井桟敷旗揚げ公演）は、主演が美輪明宏、美術が横尾忠則という豪華な顔ぶれだったが、そのぶん予算不足になったのか、無名の塙が衣装担当になってしまい、さすがに製作の九条映子が心配したようで、画家の合田佐和子を監修に付けた。

その九条と合田との仕事も刺激的で、この二つの公演の最中、美輪明宏の好意で、塙はずっと美輪の楽屋の隅を借りて、衣装のアイロンがけやほつれ直しなどの作業をしていた。それで、天井桟敷のスタッフとして、何とか生活していけそうだと思っていた矢先、寺山を亡くして劇団解散となってしまい、塙は行き場を失った。『青森県のせむし男』の打ち上げで、一〇代から憧れていた天井桟敷のスターが酔い潰れ、泣き叫ぶのを見て、やるせない気持ちになった塙だった。

東郷健と出会い、ゲイ雑誌の挿絵描きに

そこで塙は、演劇関係の友人の紹介で『東京スポーツ』紙の風俗店イラストマップを連載で描かせてもらって、イラストレーターとしてデビューした。そのイラストマップを担当していた風俗ライターに、「東郷健さんの取材をしてほしい」と頼まれて取材に行ったのが、東郷と知り合うきっかけだった。

いまの人は東郷健といっても、知らない人が多いだろう。ゲイ、同性愛を公言する先駆けで、ゲイバーを経営してマスコミにたびたび登場し、ゲイカルチャーを主導した。そして一九八三年には雑民党を結成し、政治活動を開始した。七〇年代から何度か立候補しており、実は絶縁状態にあったが、政治家の家系だった。そして、いまでいうLGBT活動の先駆で、東郷の元からは、当時初めて聴覚障害者も立候補し、選挙に手話通訳がつく道を開いた。

そのころ東郷は、大久保駅から歩いてすぐの古い一軒家に住んでいて、家の二階で月に何度かゲイとレズビアンのためのパーティを開いていた。といっても、現在のような開かれた雰囲気は一切なく、会場は雨戸を閉め切った六畳間、一人二〇〇〇円でサントリーホワイトが飲み放題、あとは東郷の手料理が出されるという、地味でひっそりとしたものだった。塙は、レズビアンパーティの日に、取材を隠して参加したが、そのときは参加者が少なくて、スタッフの女の子が一人いただけだったので、東郷と飲みながら、ゆっくり話すことができた。塙がイラストレーターだというと、東郷が出版していた『ザ・ゲイ』誌のイラストを描かないか、ということになって、そこからゲイ小説の挿絵、つまり男同士のからみを描く仕事が始まった。

『ザ・ゲイ』の巻末には、袋閉じでピンク色のレズビアンのページが付いていて、そこに載せる記事の取材や執筆もまかされるようになった。レズビアンパーティのスタッフもやったが、当時は女性誌によく取材されていたこともあって、多いときは全国から七〜八人集まることもあった。毎日のように東郷の家に入り浸っていたので、東郷や家に集まるゲイの人たちとは、家族のように親しく付き合っていた。かれらと何度か海外旅行にも行ったが、毎回大変な珍道中で、おおいに笑ったという。

それから、新宿ゴールデン街でバーをやっていたとき、エロマンガ誌の表紙を何誌もレギュラーで描いていたイラストレーターの石川吾郎と知り合って、出版社をいくつか紹介してもらった。それが、自然とSM雑誌や官能誌の仕事につながっていった。

当時はデータ送信などない時代だから、FAXか郵送で作家の原稿が送られてきて、それを読んで描いて、郵送するか、直接持っていく形だった。レイアウトまで指定されることがほとんどで、自由に描けるグラビアの仕事以外は、小説の内容に合わせた挿絵を描くだけなので、特に創作意欲は湧かなかったという。ネットもなく、資料は自分で収集するほかない。出版社から送られてくる雑誌を使ったり、自分で買ったり、男性の友人に頼んで買ってもらったりしていた。仕事机の上は、常に資料のエロ雑誌の山で、その山に埋もれるように描いてたそうだ。

この経歴を聞いて、まさにアングラの中にどっぷりひたり、さらにLGBTカルチャーにもいたことが驚きだった。そしてエロ文化、ゴールデン街と、サブカルの中心にいたことがよくわかる。貴重な証言といえる。

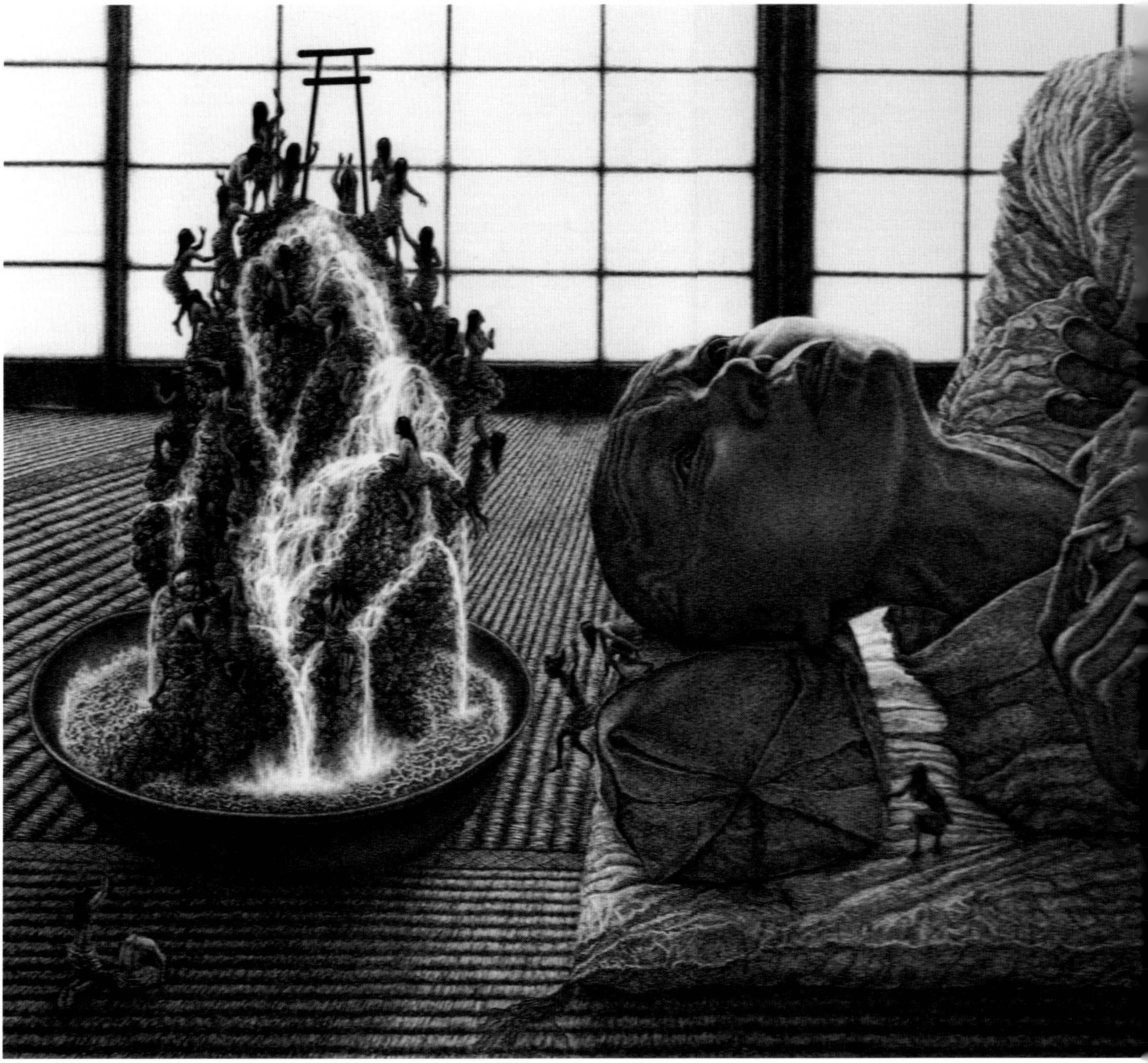

★《受肉の泉Ⅲ》2015年、約420×580mm、線描・点描による細密画、ケントボードにラピッドグラフ、丸ペン、墨汁

だが、塙は、三〇年近くエロ本の挿絵ばかり描いていて、実は楽しかったことはほとんどなかった。いわゆる世間的な評価もなく、どんなイラストを描いているのかと訊かれても、エロだと答えると引かれてしまうことが多く、それがどんどん自己否定につながっていった。「いつか本当の自分の絵が描ける」と、挿絵を描き始めた当時から言い続けてきたが、もう自分が何を描きたいのかすら、わからなくなっていた。そして、3・11のあった二〇一一年を最後に、イラストの仕事が来なくなったので、それから絵はまったく描いていなかった。

介護の傍ら本気で絵を描けた

それでは、塙はあの凄い細密画をどうして描き始めたのだろうか。塙は、高校時代に両親が離婚して、母親が家を出てから、父親と二人暮らしになった。塙も家を出ていた時期があったが、父親と二人、会話がほとんどない家庭内別居に近い同居生活だった。二〇〇七年に母親が亡くなり、それと同時に、父親が末期癌で余命半年の宣告を受けた。父親は最初は元気だったが、二〇一四年から本格的な在宅介護生活になり、最期は老人ホームで看取った。

そして、絵の仕事がなくなったとき、父親の介護が重なったことで副業もやめて、毎日二四時間、気を張って家にいなければという責任感で追い詰められた。そんなとき、救いになったのが自分の絵を描くことだった。その前年、衝動的に板橋のカフェ百日紅で個展の開催を決めていた。どんな絵を描くかまるでわからなかったが、先に決めてしまえば描くしかないという切迫感からだった。そのときは、だれにも認められず、老いて死んでいくことが怖かったという。

そして、その二〇一四年から二年間だけ細密画を描いた。それは父親の介護の時期とぴったり重なっている。塙にとって、人生でもっとも苦しい二年間だったという。細密画は、時間を潰せて、辛い気持ちをぶつけたいと描き始めたら、自然にああいう表現になったのだ。全体的にうねるような線描だが、いま自分で見ても異常に細かく、見ていて疲れるという。ただ、「生まれて初めて本気で絵を描いた!」

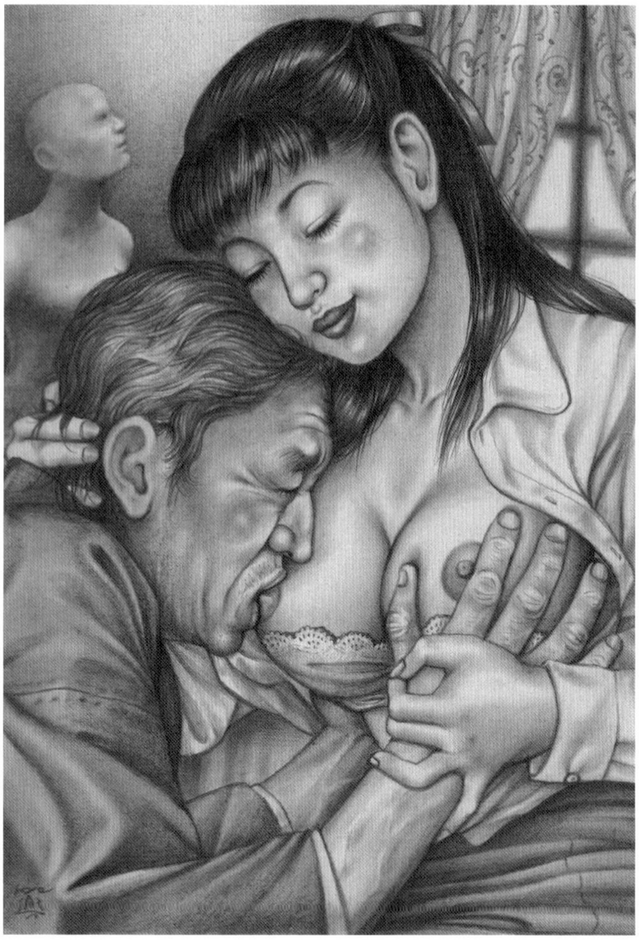

★三和出版『女王様バイブル』挿画、2000年代、ケント紙に鉛筆

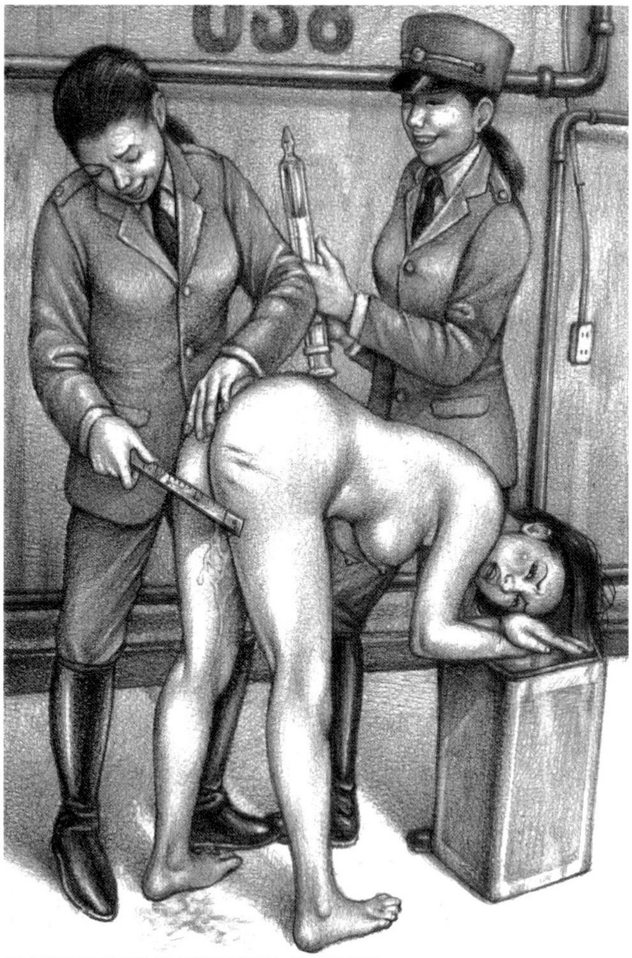

★大洋図書『カルテ倶楽部』挿画、2000年代（不明）、ケント紙に鉛筆

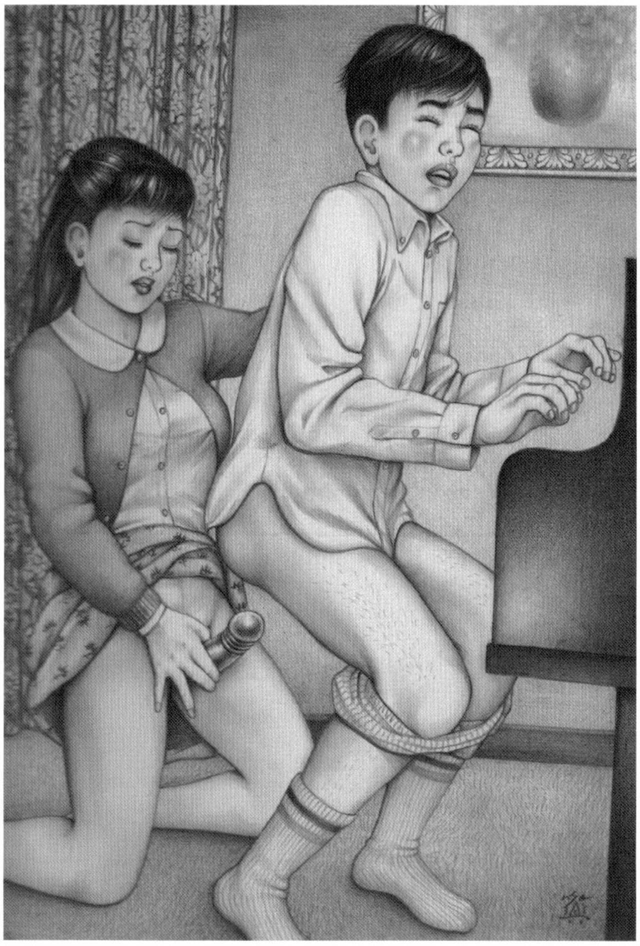

★三和出版『女王様バイブル』挿画、2000年代、ケント紙に鉛筆

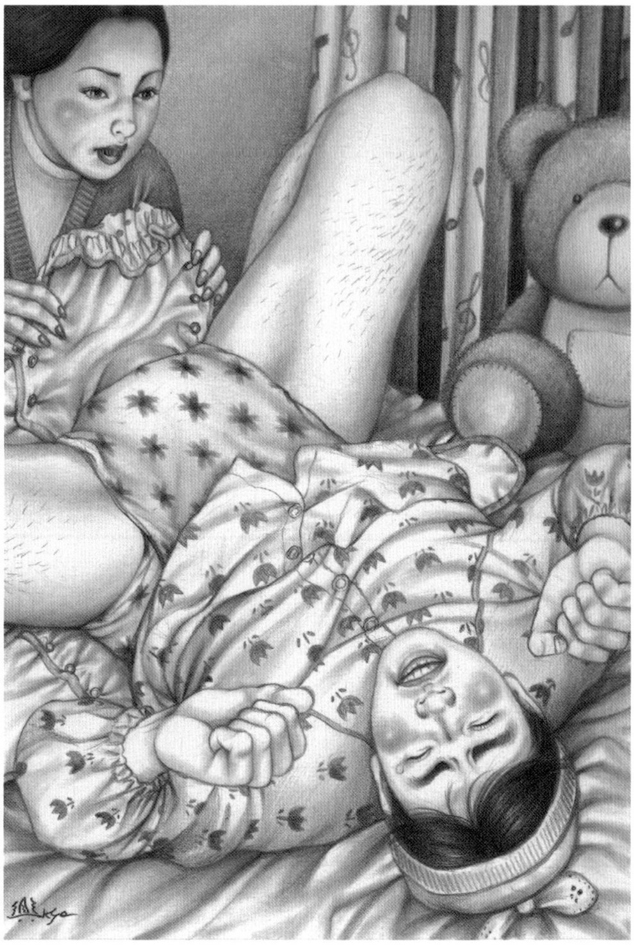

★同人誌『ベビーメイト』挿画、2000年前後、ケント紙に鉛筆

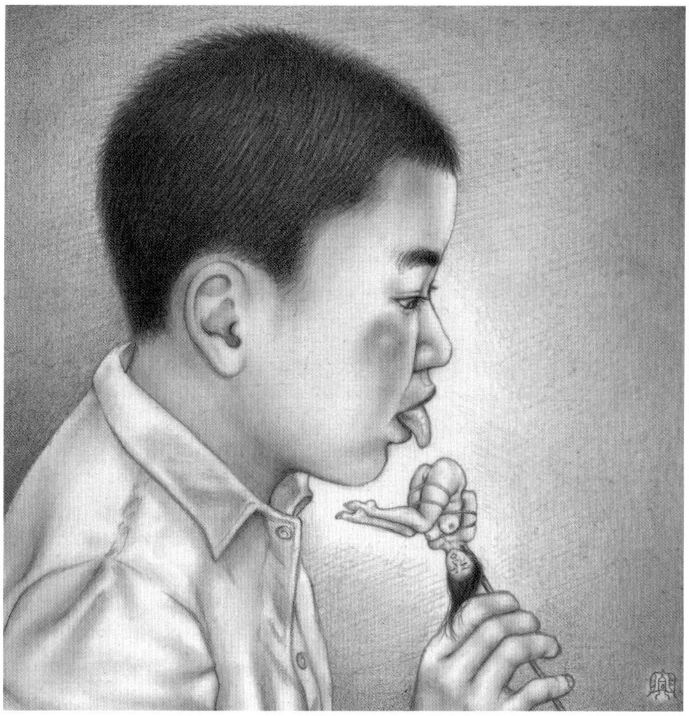

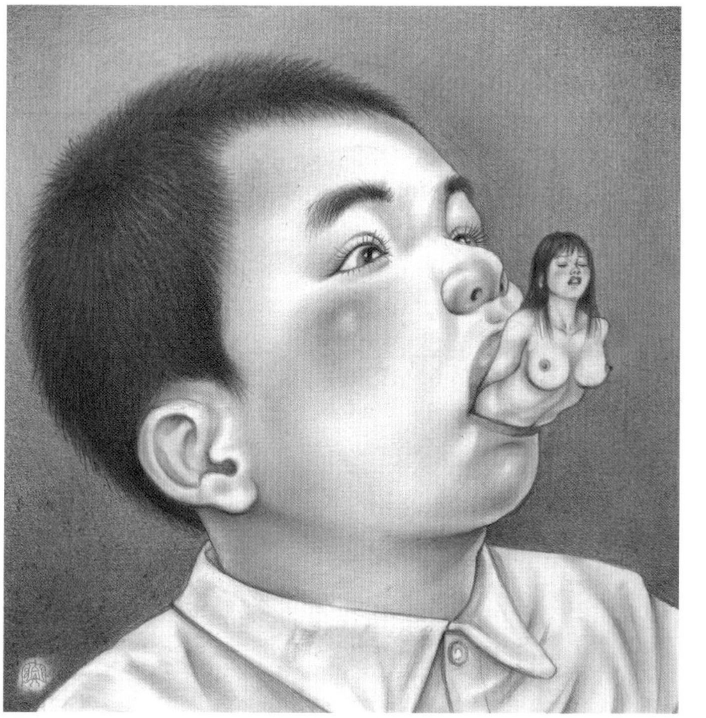

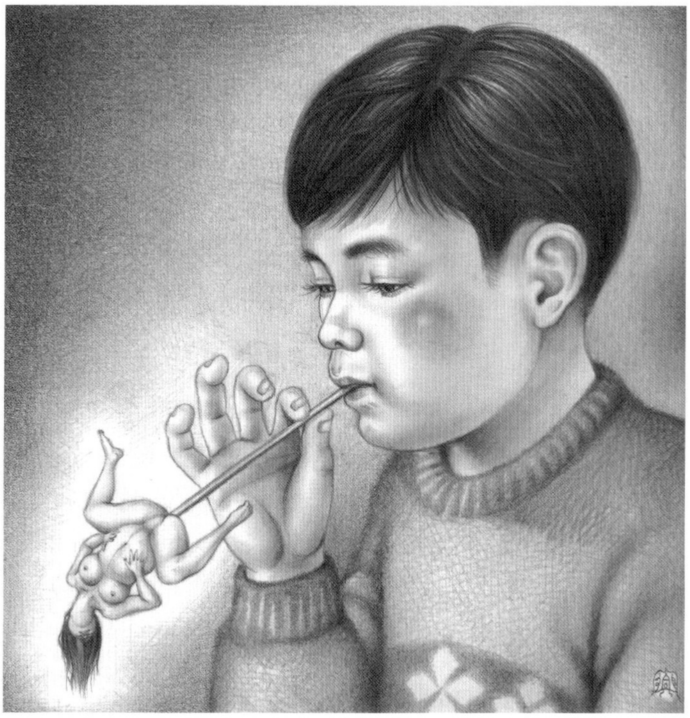

★（4点とも）『サンケイスポーツ』「おはよう面」イラスト、2000年前後、150×150mm、ケント紙に鉛筆

「やっと自分の絵が描けた！」と思ったのだ。長年挿絵で培った描画法が生かされている。直接的な介護や看取りのイメージではなく、介護で精神的に追い詰められた緊張状態の中で描いたら、ああいう絵になった。幼いころからずっとあったイメージで、つげ義春的な世界観がかなり影響していると思っている。

それでは、細密画はどのように描いているのだろうか。鉛筆画に見えるが、そうではなく、丸ペンと墨汁、そして1ミリ以下の線が均一に描けるロットリングのラピッドグラフで描いている。実際、本当に細かく、さらに一種の切なさも溢れている。だが、つげ義春や赤瀬川原平が細かく描写するときに似た雰囲気も感じられる。

塙にとっては、その後、心理セラピーで自分の中から湧いてきたイメージを照らし合わせると、父親の戦災や原爆の経験、うつで登校拒否になり、毎日寝ていたころの気持ちや、記憶にない信仰などが重ねられているようだ。そしていまでは、そんなに深刻にならなくてもよかったのに、という醒めた気持ちと、自分を観察するような感じで見ているという。

ゴールデン街などでのさまざまな出会い

塙は、高校三年の夏休みに、歌舞伎町の割烹で着物で仲居のバイトをしたのを始まりとして、大学時代は新宿のナイトクラブ、赤坂の外人バー、市ヶ谷のスナックで働いた。だが水商売という意識はなく、仮装してだれかを演じている遊び感覚だった。人間のホンネ、普段は見えない裏側に触れるのも楽しかったという。特にナイトクラブでは、週替わりで入る芸人、ドサ回りの歌手、マジックショーや、ホステスと芸人で使う畳の楽屋など、昭和の文化を生体験できた。

その後、友人の紹介で、新宿ゴールデン街の「トウトウベ」というバーでバイトすることになった。人をもてなすのが苦手なので、店主と客の隔てなくホンネをぶつけ合えるゴールデン街は憧れの場所だったので、このときはとても嬉しかったという。

「トウトウベ」で塙の前にバイトしていたのは、作家の山田詠美（当時は漫画家山田双葉）で、常連客たちは、「双葉ちゃんが黒人を連れてきたときはびっくりしたよ。そんな大胆な感じの子じゃなかったからね」と、口を揃えていていた。

　トウトウベの売上げが落ち、東郷健経由の紹介で、「ゴールデン街で店をやらないか」という話を持ちかけられると、迷わず飛びついた。そうして開いたのが「スペース33」という自分の店だった。また貸しで貸主は東郷健のゲイ雑誌の印刷会社社長の女性、そのパートナーは左翼活動家の太田竜だったというから驚きだ。太田はマルクス主義者、革命運動家で著作も多い。アイヌ独立闘争は事件になり、環境運動も行ったが、最期は謀略論者になった人物だ。

　塙は弱冠二六歳のママだったから、当時のゴールデン街では最も若い店主だったらしい。客は編集者、演出家、カメラマン、鍼灸師、議員秘書、風俗嬢、飲み屋店主、サラリーマン、フリーター、ゲイ、レズビアンと混沌としていた。変わったところでは、作家の沼正三（新潮社の天野哲夫）が月に一回くらい来ていたという。知り合ったきっかけは、別のバーでたまたま同席したときに、沼が塙の靴にキスして、「ご気分が悪いときにお電話ください」と、電話番号を箸袋に書いてくれたことだった。よく電話がきたが、話の内容は普通で、世間話の枠を出なかった。

　筆者は、沼正三こと天野哲夫には、晩年インタビューをしたことがあり、荻窪の喫茶店で、静かに自らのマゾヒズム世界を語ってくれた（本誌の姉妹誌トーキングヘッズ叢書（TH Series）№27に掲載）。新潮社の名校閲者でありながら、毎晩、飲み屋で女性に対してマゾヒストとして振る舞っていた。その著書『家畜人ヤプー』は作者としての真贋が問われた。初期は元判事の倉田卓次が関わった可能性も高いが、全体としては、天野の著作といっていいと考える。

　塙のバー、スペース33では劇作家の高取英、ポスターハリス・カンパニー代表で現在、寺山修司記念館副館長の笹目浩之が常連で、東郷健もときどき来た。イラストの仕事もしていたので、編集者が挿絵の原画を取りに来ることもあった。かなり年上の男女が酒を飲みながら、だれにもいえない仕事や家庭の愚痴や悩みや、浮気、失恋の話をする姿は、塙にとって、「人はみんな悩んでいる」ことを確認し、そんな姿を美しいと感じさせられる生きた時間だったという。

アート観と、体験した副業の数々

　それでは、塙にとって、アートとは何だろうか。アートは、あまりに乱用され過ぎた言葉なので、塙には意味がよくわからないという。だが、何かを意図した表現も、意図しないで衝動的に、あるいは何気なく発したこと、自然に生じたこと、ただそこに在ることも、すべてアートであって、そういう意味では、世界全体がアートだと思っている。そう言い切れるようになったプロセスの一つが、ゴールデン街だったのかも知れないという。

　また、イラストでは収入が不安定で足りなかったので、副業としてさまざまな職に就いた。新聞の折込み広告で知った遺跡発掘では、縄文式住居や土器などを発掘していた。都営住宅の下から江戸から明治にかけての墓地が出て、線香を焚きながら人骨を掘り出したこともある。そこはいま外郭環状道路になっている。

　三〇代のときは、自己啓発セミナーにはまってスタッフのようになり、三年間マインドコントロール状態に陥ったという。バブル崩壊でそのセミナーが潰れた後、つぎ込んだ借金を返すために、交通誘導のガードマンをする。うつとパニック障害を併発し、精神的にかなりしんどいときだった。ガードマンはさまざまな現場に派遣されるが、通行止めの看板前に立っていたとき、ゴールデン街の常連の男性が前から歩いてきたので、惨めな姿を見られたくなくて慌てて逃げた。四〇歳を過ぎたころ、元ゴールデン街のバーの店主が古本屋を開くというので、何年かバイトした。だが、塙の日はゴールデン街時代の客が入り浸るようになり、店主の機嫌を損ねた。その合間にAmazonの中古本の入力や発送業務を粛々とこなしていた。

父親の秘密を見たトラウマと自己啓発

　塙は、小さいころから心理学にとても興味があった。小学生のとき、「自分はなぜ存在しているのか？」「なぜ自分と他人は分かれているのか？」などと、自分の存在や世界のしくみについて疑問を抱えていた。社会全体が狭い枠をたくさんつくり、大人たちが芝居をしているように見えていた。大人になると自分もその芝居に参加しなきゃならないと思うと、投げやりな気分になり、漠然とした生きづらさを抱え、両親の不仲もあって、一時期、体調を崩して登校拒否になった。さらに思春期になると、自分のセクシュアリティの問題にぶち当たり、さらに、父親の秘密の創作を見てしまったトラウマも重なった。

　塙の父親の創作とはどのようなものだったのだろうか。それは、女性のヌードグラビアの上から、鉛筆でドローイングを描き加えるものだった。女性の姿を痩せさせるために、肋骨を描き、細い身体にしていく。背景を塗りつぶし、即身仏のようにしたものもある。塙はそこに性的なものを感じて、ショックを受けたのだった。

　父親は広島県呉市に生まれ、広島の原爆投下後、親類を助けに入って被爆した。その後、特攻隊訓練中に敗戦を迎えた。読書家であった父親はＫＤＤ（国際電信電話、現ＫＤＤＩ）で定年を迎えた。

　塙は、そんな背景で、二四歳のときに、いわゆる覚醒体験のような体験があったが、そこから本格的に、自己探求にのめり込むようになった。チャネリング、スピリチュアリズム、自己啓発セミナーなどに次々と夢中になって、役立つこともあったが、本当の意味では腑に落ちず、仕事をしながらずっと苦しんでいた。父親が亡くなった後、書斎の机の引き出しの奥から、また秘密の創作が見つかったとき、トラウマが蘇えり、感情が爆発して、だれかに救いを求めずにいられなくなった。

　その少し前からアドバイタ、悟り、ノンデュアリティ、非二元といわれるジャンルのトークイベントや講座によく出かけていたが、セラピストを紹介してもらい、約二年間セッションに通った。クライアントが主役で、クライアントの言葉しか使わないというセラピーだったので、あやしくはない、安心してゆだねられると思った。また身体を動かすセラピーや、ホメオパシーなども並行して受けた。

　その二年間は感情表出が止まらなくて、忘れていた過去の感覚をありありと思い出したり、理解できなかった両親の気持ちに気づいたりして、毎日毎日、子どものように泣き叫んでいた。そのうち少しずつ自分を客観視できるようになると、今度は知らない自分を知ることが楽しくなった。自分の心のしくみがあまりに面白いので、セラピストになりたいと思い始め、講座に通ってディプロマを取得し、練習会にも通った。

　セラピストにはならなかったが、自分を知ることで深刻さが薄まり、子どもに返ったように、好きなことを好きなようにやるようになった。こういう変化は、セラピーを受けなくても、だれでもさまざまなプロセスの中で起き得るという。

　なかなか壮絶な悩みの体験だが、ようやく精神的な自由を獲得したということだろうか。だが、塙の悩みはそれだけではない。

エロスへのアクセルとブレーキ

　塙は、小さいころから性的なことに強い嫌悪感を持っていた。そして、エロ本の挿絵を描くことで、それ以上性的なことに触れないように、防御したかったという。性的なことから逃避したかったが、性を嫌悪するからといって、性欲がないわけではない。セックスしたくなるし、性的なものに関わりたい気持ちは起きる。エロ本の挿絵を職業にすることによって、同年代の女性が絶対に読めないポルノグラフィを気軽に手に入れられるのは、都合がいいことだった。だが、そんな自分を赦すことはなく、いつも激しい罪悪感を抱えていた。自分ではどうしようもない「性欲＝罪」のような感覚から、だれかに赦してもらいたい、自分で自分を赦したい、そんな衝動で身体的な要素を描くのではないかという。

　性欲や、性欲をそそるような物事は、本来なら子孫を残すために身体に標準装備された自然の機能だと、塙は思う。ただそこに、人間のマニアックな文化、マニアックな美学が乗ったために、とても奇妙な形に見えているだけだという。そして、アクセル（生命体としての自然な性欲）とブレーキ（人間の美学）を同時に踏んでいる、軋みのような感覚が、塙のエロティシズムのイメージだ。

この考えは面白い。性的なものは自然であるはずなのに、非現実的なもの、奇妙なものや、フェティッシュを求め、そこにエロティシズムを感じる。平たくいえば、自然であり、同時に変態なのだ。身体の性的な部分は、普段隠されているが、性欲の高まりによって表面に出てくる。性欲自体も普段は隠されているが、高まると露骨になり、理性を失わせる。隠れているものを見たいと思い、そこにエロスの高まりを感じることも、つながっている。性をどうとらえるか、これは非常に難しい。とりあえず、筆者としては、そのアンビヴァレンツゆえに、離れられないのだ、と言っておこう。

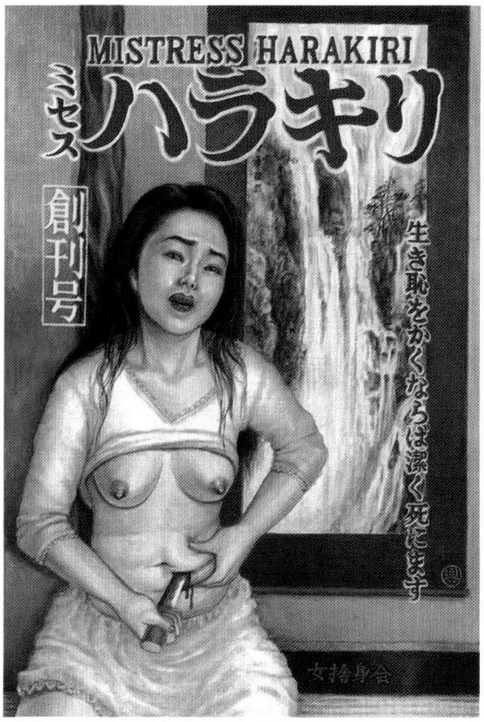

★架空雑誌『ミセス ハラキリ』2019年、約290×210mm、麻キャンバスボードにアクリル絵具

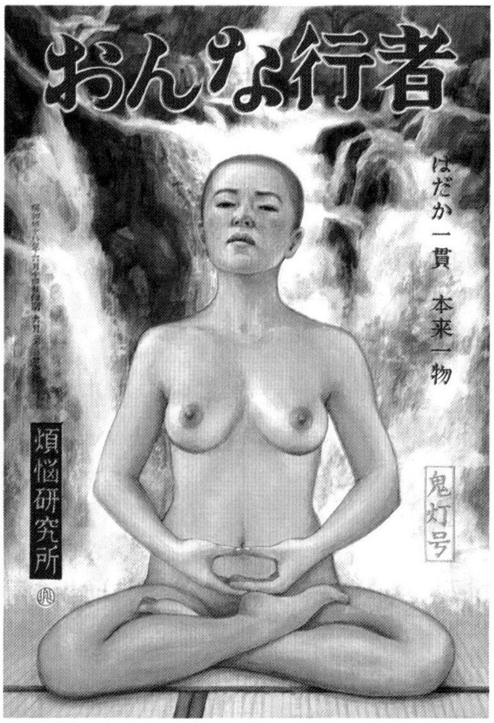

★架空雑誌『おんな行者』2019年、約290×210mm、麻キャンバスボードにアクリル絵具

★架空雑誌『出産とオーガズム』2019年、約290×210mm、麻キャンバスボードにアクリル絵具

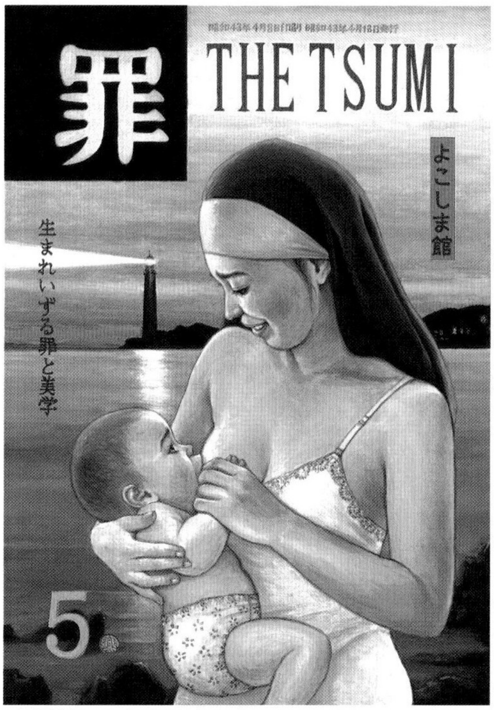

★架空雑誌『罪』2020年、約290×210mm、麻キャンバスボードにアクリル絵具

クスッと笑えるようなものをつくりたい

塙はその後、マキエマキや吉岡里奈に出会って刺激を受けたこともあって、画風は、細密画からパロディ風のアクリル画に変わった。現在、ツイッターや動画配信で伝えていることは、生きづらさから自己探究を続けてきて、最終的に腑に落ちたことだ。いろんな人から聞いたことを、自分の言葉に翻訳している寄せ集めでもあるという。

塙は、美術作品を見に行くことは、めったにない。人ごみが嫌いなせいか、わざわざ行く気にならないという。そして影響を受けたのは、つげ義春、辰巳ヨシヒロ、水木しげる、楳図かずお、手塚治虫、マキエマキ、吉岡里奈。特につげ義春は偉大な存在。だが、一番大きな影響を受けたのは、父親の秘密の創作だ。美術家以外で関心のあるのは、釈迦、一遍、ジュンコセレンディ、圭子〜ナチュ裸リスト。

今回掲げた塙の作品は、三種類。一つはエロティックな架空の雑誌の表紙を描いたもの。ひらけたエロスを感じる。また、鉛筆画の子どもたちのエロスもそれにつながるが、児戯を描いたところに、独自性と暗いユーモアを感じさせる。そして、やはり強いパッションを感じるのが、細密画である。病床にいる女性像は自分を描いたものだ。母と再会し老いていく姿を見て、父親の介護もした塙は、病いと老いの自分の姿を描く。だが、母親と父親の姿もそこに重なっているのではないか。また、精神的なトラウマを強く感じるが、同時にどこか、そこから自由になる自分を描いているようにも思える。胸を開く姿には、自分を露呈して、解放されることを示しているのではないだろうか。

塙は、コロナの影響で延期になった吉岡里奈、マキエマキとの三人展『おピンク帝国の逆襲』を、二〇二一年四月に板橋のカフェ百日紅で開催予定だ。人形作家とのコラボ展の予定もある。

アートというジャンルは存在しないと思っており、絵に限らず、多角的な表現をしていきたい塙。もともと人を笑わせることが好きなので、だれもがクスッと笑ってくれるようなものをつくりたいし、発信していきたい、と結んだ。

（志賀信夫）

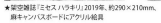

◉文=沙月樹京

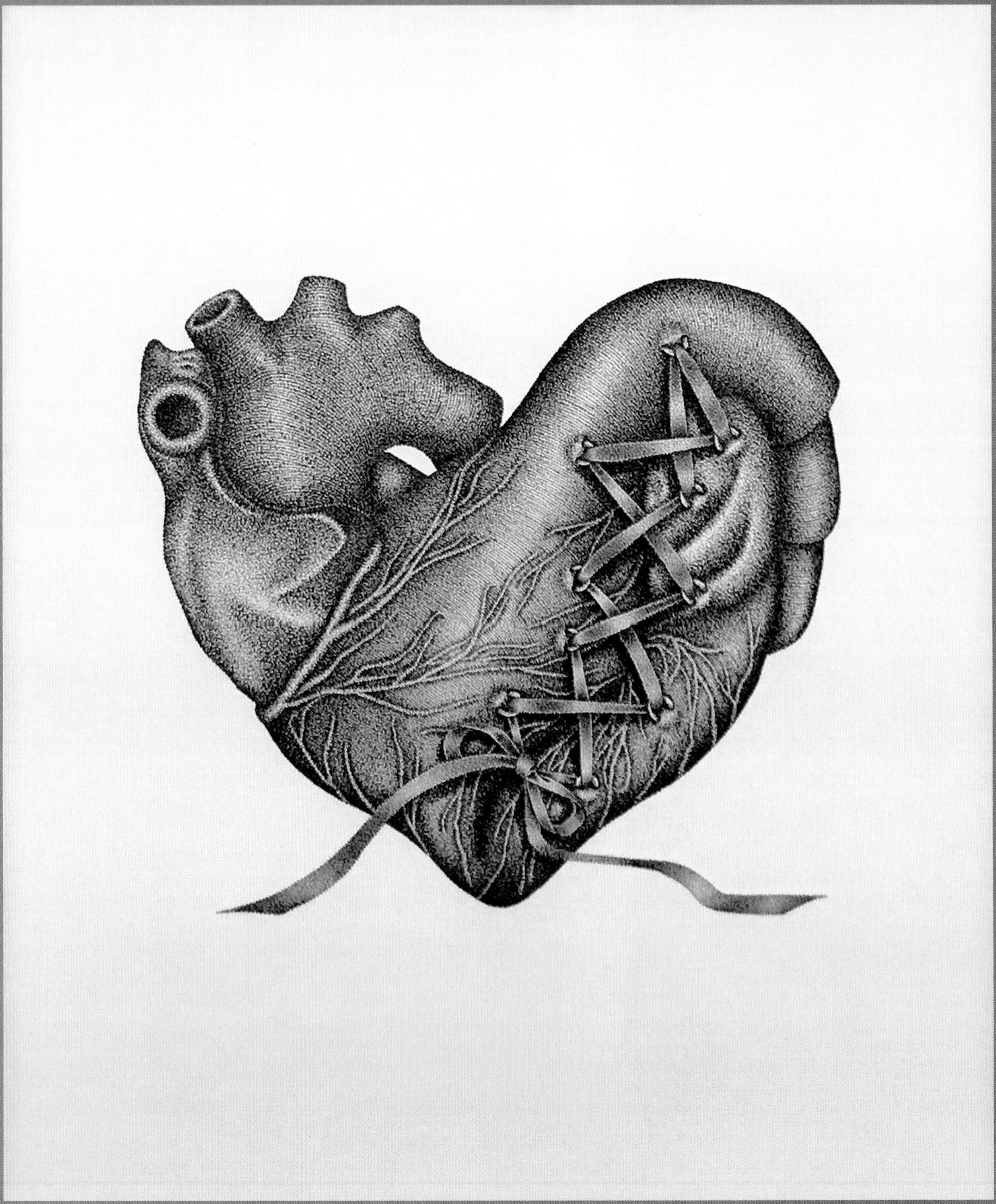

★《少女、心臓》2020年、180×210mm、インク・色紙

YU

遊（アトリエ夢遊病）

童話をモチーフにしながらも
背筋が寒くなりそうな不気味さが漂う

★《ラプンツェル》2019年、182×257mm、インク・画用紙

★《ハートの少女》2017年、210×297mm、インク・画用紙

★《Ballerina》2017年、210×297mm、インク・画用紙

★《白雪姫》2019年、182×257mm、インク・画用紙

★《London Bridge I》2018年、210×297mm、インク・画用紙

★《London Bridge III》2018年、148×210mm、インク・画用紙

★《London Bridge II》2018年、148×210mm、インク・画用紙

★《人魚の無理心中》2019年、210×297mm、インク・画用紙

★《赤ずきん》2019年、257×364mm、インク・画用紙

★《少女、夢うつつ》2020年、242×332mm、インク・色紙

子供時代へ戻ることを夢見て点描を重ねる

非常に細かな点描で描かれたゴシックな世界。ラプンツェルや赤ずきんなど、童話をモチーフにした作品が目につくが、だがそこには少し背筋が寒くなりそうな不気味さが色濃く漂う。赤ずきんは何かに憑かれたかのような凍った表情をしていて、その背後に狼の目が光っている。テーブルの上にあるのは、おばあさんの死骸だろうか。薔薇の花びらが、血のように骸骨に絡みついている。

そこに血を描かないことからも分かるように、遊が描き出すのは、あくまでもグロテスクさを帯びない、優美さに彩られた洗練された世界だ。点描という手法は筆跡を残さないがゆえに、描画や着彩による情感を絵に入り込ませない。その、ある意味冷たさも、不気味さと同時に洗練された空気感を醸す要因になっているのではなかろうか。

個展タイトルになっている「夢と病」は、遊の理想郷なのだという。「大人になればなるほど病んでいく。子供のように素直でいられたらいいのに」——童話の世界を裏返すことで、闇（病み）の側から子供の時代へと還っていくことをもくろんでいるのだろうか。考えてみればゴスロリなども、闇をまとうと同時に成長を拒否するものだった。遊はその願いを絵の世界に投影して、願うように点描を重ねる。（沙月樹京）

※遊（アトリエ夢遊病）個展「夢と病」は、2020年2月29日～3月4日に、大阪・中崎町のSUNABAギャラリーにて開催された。

◎TH Art series

◎新刊

北見隆 装幀画集「書物の幻影」
978-4-88375-398-7／B5判・96頁・ハードカバー・税別3200円
●赤川次郎、恩田陸、中島らも、津原泰水…あのワクワクは、この絵とともにあった! 40年の装幀画業から、約400点を収録した決定版画集!

高田美苗 作品集「箱庭のアリス」
978-4-88375-393-2／B5判・64頁・ハードカバー・税別2700円
●混合技法によるタブローから銅版画まで、少女をモチーフとした夢幻世界を描き続ける高田美苗の軌跡を集約した、待望の作品集!

たま(絵) 最合のぼる(文・写真・構成)
「夜間夢飛行～暗黒メルヘン絵本シリーズ2」
978-4-88375-392-5／B5判・64頁・カバー装・税別2255円
●《暗黒メルヘン絵本シリーズ》第2弾は少女主義的水彩画家・たまが登場!「残酷で愛らしい、手加減なしの毒入り絵本です」—林美登利

黒木こずゑ(絵) 最合のぼる(文・写真・構成)
「一本足の道化師～暗黒メルヘン絵本シリーズ1」
978-4-88375-370-3／B5判・64頁・カバー装・税別2255円
●妖しい世界へいざなう、絵と写真によるヴィジュアル物語! アンデルセンなどの童話を元に生まれた《暗黒メルヘン絵本シリーズ》第1弾!

森環 画集「ネコの日常・非日常」
978-4-88375-388-8／四六判・64頁・ハードカバー・税別2200円
●ファッション大好き、読書も好きで…ほんとにネコって、不思議! そんなネコのくらしをのぞいてみた、かわいくてちょっぴり奇妙な画集!

◎人形・オブジェ作品集

神宮字光 人形作品集「Cocon」
978-4-88375-378-9／A5判・64頁・ハードカバー・税別2700円
●ビスクなどで作られた愛おしい人形達がさまざまなシチュエーションの中で遊ぶ、かわいくも、ときにシュールでミラクルな世界!

田中流 球体関節人形写真集「Dolls～瞳の奥の静かな微笑み」
978-4-88375-373-4／A5判・96頁・カバー装・税別2300円
●若手からベテランまで、多彩なタイプの球体関節人形を撮影し、その魅力とともに、現代の創作人形の潮流をも写した写真集!!

清水真理 人形作品集「Wonderland」
978-4-88375-364-2／B5判・64頁・ハードカバー・税別2750円
●肉体と霊魂、光と闇、聖と俗…それらの狭間で息づく、人形たちのワンダーランド。多彩な活躍を続ける清水の近年の作品の魅力を凝縮!

清水真理 人形作品集「Wachtraum(ヴァハトラウム)～白昼夢」
978-4-88375-217-1／A5判・64頁・ハードカバー・税別2750円
●映画「アリス・イン・ドリームランド」に提供した人形(田中流撮り下ろし)や、吉成行夫撮影の吸血鬼シリーズなど満載の人形作品集。

芳賀一洋 作品集「錠前屋のルネはレジスタンスの仲間」
978-4-88375-331-4／A5判・224頁・並製・税別2222円
●リアルにつくり上げられた驚きのミニチュア・ワールド! はが いちよう の 抒情あふれる世界をおさめた、ノスタルジックな作品集。

ホシノリコ 作品集「蒼燈のばら」
978-4-88375-326-0／B5判・64頁・ハードカバー・税別2750円
●艶かしく息づく球体関節人形、幻想的な物語奏でるオブジェ。ホシノの10年の歩みをまとめた待望の作品集! 写真＝吉田良、田中流

与偶 人形作品集「フルケロイド FULLKELOID DOLLS」
978-4-88375-265-2／A5判・68頁・ハードカバー・税別2750円
●園子温推薦! 多くの人の心に突き刺さっている、凄みのある作品たち。20年の作家生活をここに総括。横4倍になる綴じ込み2枚付!

木村龍 作品集「光速ノスタルジア」
978-4-88375-245-4／B5判・96頁・ハードカバー・税別3500円
●ボックスアートから彫像的作品、球体関節人形、絵画などまで、妖美で奇矯、かつ純真な世界を濃密に凝縮した、待望の初作品集!!

林美登利 人形作品集「Night Comers～夜の子供たち」
978-4-88375-288-1／A5判・96頁・ハードカバー・税別2750円
●異形の子供たちは、夜をさまよう——「Dream Child」に続く、人形・林美登利、写真・田中流、小説・石神茉莉のコラボ、第2弾!

森馨 人形作品集「Ghost marriage～冥婚～」
978-4-88375-236-2／B5判・64頁・ハードカバー・税別2750円
●妖しい美しさと、哀しいエロスを湛えた、森馨の球体関節人形。その蠱惑的な肢体を写真家・吉成行夫が撮影した、闇の色香ただよう写真集!

北見隆 作品集「本の国のアリス～存在しない書物を求めて」
978-4-88375-223-5／A5判・64頁・ハードカバー・税別2750円
●本そのものが、「アリス」の物語の、愉快な舞台(ワンダーランド)に! 本の形をした"ブックアート"を中心に、不思議な物語に満ちた作品集!!

菊地拓史 オブジェ集「airDrip」
978-4-88375-229-4／A5判・64頁・ハードカバー・税別2750円
●「夢と現の境を揺蕩う、幻視の錬金術師」—手塚眞。菊地拓史が贈るオブジェと言葉のブリコラージュ。その世界を本で表現した一冊。

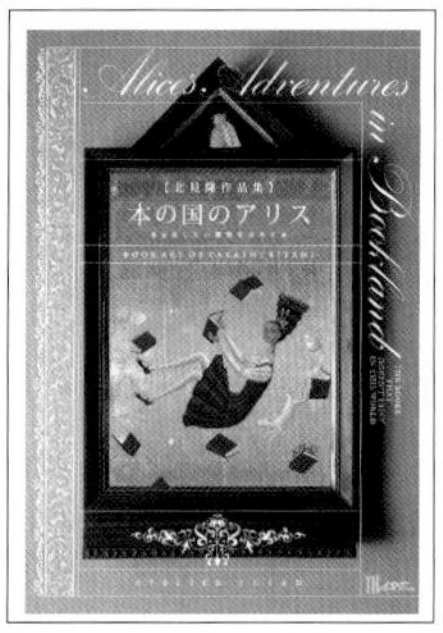

◎杉本一文画集

「杉本一文『装』画集～横溝正史ほか、装画作品のすべて」
978-4-88375-287-4／A4判・128頁・カバー装・税別3200円
●横溝正史といえば、杉本一文。数多く手がけてきた装画作品の中から、横溝作品を中心に約160点を精選して収録した待望の画集!!

「杉本一文銅版画集」
978-4-88375-286-7／A5判・128頁・カバー装・税別2500円
●幻想とエロスの桃源郷——杉本一文のもうひとつの顔、銅版画の代表作を装画作品から蔵書票まで約200点収録!

◎少女系画集

たま 画集「Calling～少女主義的水彩画集VI」
978-4-88375-357-4／B5判・52頁・ハードカバー・税別2750円
●"現代の少女聖画"。ダーク＆キュートな作品で人気のたまの画集、第6弾! 折込み塗り絵や、中野クニヒコによる立体作品も収録!

たま 画集「Fallen Princess～少女主義的水彩画集V」
978-4-88375-221-8／B5判・48頁・ハードカバー・税別2750円
●お姫様系、エロちっく系、食べ物系など、たまならではのダーク＆キュートな秘密の乙女の楽園がたっぷり! 待望の画集第5弾!

安蘭 画集「BAROQUE PEARL～バロック・パール」
978-4-88375-213-3／A5判・72頁・ハードカバー・税別2750円
●哀しみや痛みなどを包み込み、いびつだからこそ心を灯す、安蘭の"美"。耽美画家・安蘭の約10年の軌跡を集約した待望の画集!

深瀬優子 画集「Kingdom of Daydream～午睡の王国」
978-4-88375-167-9／A5判・64頁・ハードカバー・税別2750円
●油彩とテンペラの混合技法などによりメルヘンチックで愛らしく、でも少しシュールな作品を描き続けている深瀬優子の初画集!

長谷川友美 画集「The Longest Dream」
978-4-88375-198-3／A5判・64頁・ハードカバー・税別2750円
●自ら、絵に物語を添えた長谷川友美 初画集! 夢の断片のような、ささやかな寓話が織りなす不思議で素朴な幻想世界。

須川まきこ 画集「melting～融解心情」
978-4-88375-137-2／A5判・112頁・ハードカバー・税別2800円
●欠けていることのエレガンスをセンシティブに描く須川まきこ待望の画集! 〝まるで わたしは つくりものの 人形〟

根橋洋一 画集「秘蜜の少女図鑑」
978-4-88375-154-9／A5判・64頁・ハードカバー・税別2800円
●原色に埋もれたイノセントでセクシュアルな少女たちのコレクション! 少女への幻想に彩られた根橋洋一の世界を集約した処女画集!!

こやまけんいち 画集「少女たちの憂鬱」
978-4-88375-096-2／A5判・64頁・ハードカバー・税別2800円
●痛みと遊ぶ少女たちを繊細に描く。女の子たちは完全すぎて、傷つけないではいられない。鋏で、サクリと。—西岡智(西岡兄妹)

◎幻想画集

スズキエイミ 作品集「Eimi's anARTomy 102」
978-4-88375-358-1／B5判・64頁・ハードカバー・税別2750円
●"美の本質は肉体、肉体の本質は死"。名画などを巧みに組み合わせて作り上げられた解剖学的でシニカルな美の世界。国内初の作品集!

森環 画集「愛よりも奇妙～Stranger than love」
978-4-88375-264-5／B5判・64頁・ハードカバー・税別2750円
●なんて奇妙な、ワンダーランド!「ボローニャ国際絵本原画展」入選など、不思議な世界観で人気の画家の幻想的な鉛筆画集!

椎木かなえ 画集「同じ夢～Same Dream～」
978-4-88375-252-2／A5判・64頁・ハードカバー・税別2750円
●闇に住まう人の、いびつな愛と、不穏な夢。奇妙で秘儀的な心象風景が、観る者を夢幻の世界へ導く、椎木かなえの初画集!!

町野好昭 画集「La Perle(ラ・ペルル)—真珠—」
978-4-88375-132-7／A5判・64頁・ハードカバー・税別2800円
●中性的な少女の純化されたエロスを描き続けてきた孤高の画家、町野好昭の幻想世界をよりすぐった待望の作品集!

◎写真集

珠かな子 写真集「いまは、まだ見えない彗星」
978-4-88375-371-0／B5判・64頁・ハードカバー・税別2700円
●私にとってセルフポートレートは〝可愛さと強さの脅迫〟だ。私たちには無数の未来があって、女の子は強くなれる。待望の写真集!!

村田兼一 写真集「月の魔法」
978-4-88375-354-3／B5判・96頁・ハードカバー・税別3200円
●禁忌を解く魔法——月乃ルナをモデルに生み出された、マジカルで濃密なエロスに満ちたおとぎの世界。

美島菊名 写真作品集「HOPE」
978-4-88375-308-6／B5判・64頁・ハードカバー・税別2750円
●少女よ あなたは 世界を変える——少女の無垢と欲望を、インパクトあるヴィジュアルで表現してきた美島菊名、初の写真作品集!

◎ExtrART（エクストラート）〜異端派ヴィジュアルアート誌

file.24◎FEATURE：幽玄を垣間見る
A4判・112頁・並装・1200円（税別）・ISBN978-4-88375-395-6
●上田風子、高田美苗、濵口真央、奥田鉄、土田圭介、南花奈、白野有、武田海、村山大明、日影眩、神宮字光、黒木こずゑ×最合のぼる

file.23◎FEATURE：秘めた、この思い
A4判・112頁・並装・1200円（税別）・ISBN978-4-88375-385-7
●池田ひかる、新宅和音、谷原菜摘子、野原tamago、井桁裕子、朱華、日野まき、菊地拓史・森馨、田中流、渡邊光也、千葉和成、TOKYO 2021 美術展

file.22◎FEATURE：隠されていた"美"
A4判・112頁・並装・1200円（税別）・ISBN978-4-88375-372-7
●蛭田美保子、スズキエイミ、椎木かなえ、たま、Kamerian.、ディナ・ブロツキー、井上洋介、生熊奈央、衣（はとり）、垂狐、ベルリン・悪魔の山 ほか

file.21◎FEATURE：うつろう、イメージ
A4判・112頁・並装・1200円（税別）・ISBN978-4-88375-360-4
●菅澤薫、大河原愛、有坂ゆかり、大塚咲×七菜乃、夜乃雛月、ニコライ・バタコフ、亜由美、櫻井紅子、吉田有花×ある紗、大島哲以 ほか

file.20◎FEATURE：夢幻の国を逍遥する
A4判・112頁・並装・1200円（税別）・ISBN978-4-88375-346-8
●佐久間友香、木村了子、中村キク、永井健一、長谷川友美、P.ファーガソン、池島康輔、須川まきこ、立島夕子、こやまけんいち、松下まり子 ほか

file.19◎FEATURE：その存在の、ミステリアス
A4判・112頁・並装・1200円（税別）・ISBN978-4-88375-338-3
●藤井健仁、棚田康司、モリケンイチ、後藤温子、中井結、トロイ・ブルックス、ホシノリコ、新竹季次、中川ユウキチ、宮本香那、江村玲 ほか

file.18◎FEATURE：イノセンスが見る夢
A4判・112頁・並装・1200円（税別）・ISBN978-4-88375-323-9
●美島菊名、Risa Mehmet、泥方陽菜、雨宮沙月、月夜乃散歩、ローズ・フレイマス-フレイザー、松永賢、勝野眞言、高松ヨク ほか

file.17◎FEATURE：説話的世界へようこそ
A4判・112頁・並装・1200円（税別）・ISBN978-4-88375-315-4
●夢島スイ、フォレスト・ロジャース、深瀬優子、ある紗、渡辺つぶら、ごとうゆりか、佐藤久雄、大江慶之、安蘭、ドイツのグラフィティ ほか

file.16◎FEATURE：心の中の原初の光景
A4判・112頁・並装・1200円（税別）・ISBN978-4-88375-304-8
●白野有、髙木智広、ANNEKIKI、塩野ひとみ、シマザキマリ、シチョルドル、磯村暖、清水真理、西牧徹、澁澤龍彦 ドラコニアの地平 ほか

file.15◎FEATURE：異形の世界に住まう者
A4判・112頁・並装・1200円（税別）・ISBN978-4-88375-297-3
●椎木かなえ、熊澤未来子、根橋洋一、土田圭介、林美登利、愛実、カテリーナ・ベルキナ、町田結香、中島祥子、大澤晴美、真木環 ほか

file.14◎FEATURE：幻視者たちの夢想
A4判・112頁・並装・1200円（税別）・ISBN978-4-88375-282-9
●謝敷ゆうり、松元悠、日隈愛香、飴屋晶貴、今井亜樹、七菜乃、ヴァルティルソン、与偶、ジョック・スタージス、「Bへのオマージュ」展 ほか

file.13◎FEATURE：意識下に漂う幻想
A4判・112頁・並装・1200円（税別）・ISBN978-4-88375-269-0
●谷敦志、キム・ディングル、藪乃理子、吉井千恵、箕輪千絵子、高田美苗、蛭田美保子、夜乃雛月、「白鳥の歌〜死の寓話」展 ほか

file.12◎FEATURE：愛しき、ヒトガタ
A4判・112頁・並装・1200円（税別）・ISBN978-4-88375-257-7
●中嶋清八、木村龍、宮崎郁子、清水真理、神宮字光、ジュール・パスキン、池田俊彦、「第20回岡本太郎現代芸術賞（TARO賞）展」ほか

◎トーキングヘッズ叢書（TH Seires）

No.82 もの病みのヴィジョン
A5判・224頁・並装・1389円（税別）・ISBN978-4-88375-402-1
●「病み」＝「闇」のヴィジョン。人形作家・与偶トークイベントレポ、梅毒をめぐる幾つかの逸話と謎、舞踏病と死の舞踏、「吸血鬼ノスフェラトゥ」とペストのパンデミック、草間彌生の小説『すみれ強迫』、美人薄命の文化史、病と日本人、舞踊家・土方巽の〈病み〉、澁澤龍彦と病、病弱な少年、「ジョーカー」、「ベニスに死す」ほか

No.81 野生のミラクル
A5判・208頁・並装・1389円（税別）・ISBN978-4-88375-389-5
●野生からわれわれは何を学び、何を表現の糧にしてきたか。ケロッピー前田インタビュー〜野生を取り戻してテクノロジーを乗りこなせ、管理された野生、粘菌、牧神、人豚、八化けタヌキ、シュルレアリスムのアフリカ、スクリーンの変身人間、キム・ギヨンが描く〝オス〟と〝メス〟、異類婚姻譚、動物フォークロア、映画『ZOO』ほか

No.80 ウォーク・オン・ザ・ダークサイド〜闇を想い、闇を進め
A5判・224頁・並装・1389円（税別）・ISBN978-4-88375-376-5
●新たな想像力は闇から生まれる。［図版構成］濵口真央、C7、新宅和音、紺野真弓、宮本香那、萌木ひろみ、谷原菜摘子。タスマニアの美術館MONA、書肆ゲンシシャの驚異のコレクション、日本の闇を感じさせるゲゲゲスポット紀行、闇の文学史〜連鎖する自死、萩尾望都が描き始めた「楽園の裏側」、カタコンブという世界の裏ほか。

No.79 人形たちの哀歌
A5判・240頁・並装・1389円（税別）・ISBN978-4-88375-363-5
●［図版構成］田中流写真作品（人形＝日隈愛香・SAKURA・ホシノリコ・舘野桂子）・清水真理・野原tamago・神宮字光、現代の〝生き人形〟〜中嶋清八・井桁裕子・衣・森馨・佐藤久雄、菅実花とリボーンドール、ロボット・アンドロイド演劇の一〇年、映画『オテサーネク』と『マジック』ほか。追悼・遠藤ミチロウなども。

No.78 ディレッタントの平成史〜令和を生きる前に振り返りたい私の「平成」
A5判・256頁・並装・1389円（税別）・ISBN978-4-88375-350-5
●私たちが感じ取ってきた「平成」を振り返る。TH的・平成年表、極私的平成の三十年間（友成純一）、平成ゾンビ考〜「終わりなき日常」から「サバイバル」へ、舞踏の平成、アニメ『どろろ』に見る内実の変容、死体ビデオと90年代悪趣味ブーム、SNSという「ネオ世間」の出現、IT盛衰、「今日の反核反戦展」、酒見賢一論ほか。

No.77 夢魔〜闇の世界からの呼び声
A5判・224頁・並装・1389円（税別）・ISBN978-4-88375-340-6
●不穏さに満ちた夢の世界。mizunOE、飴屋晶貴、亜由美、林良文、古代記紀神話から『君の名は。』まで、脳科学の見地から夢を解く、「メアリーの総て」と『フランケンシュタイン』の悪夢、『エルム街の悪夢』、エドガー・アラン・ポー、ラース・フォン・トリアー「ヨーロッパ」と鉄道普及史、孫悟空の異世界彷徨 ほか。

No.76 天使／堕天使〜閉塞したこの世界の救済者
A5判・224頁・並装・1389円（税別）・ISBN978-4-88375-330-7
●天使や堕天使から発した想像力。村田兼一、ホシノリコ、『ベルリン・天使の詩』、ボカノウスキー『天使』がいたころ、天使と日本人、イスラムの堕天使たち、「天使の玉ちゃん」と〈失われた子供時代〉、『デビルマン』飛鳥了、熊楠の天使／天子と男色ほか。ジャ・ジャンクー論（藤井省三）、アジアフォーカス2018レポなども。

No.75 秘めごとから覗く世界
A5判・256頁・並装・1389円（税別）・ISBN978-4-88375-316-1
●秘めごとが生む物語。ステュ・ミード、中井結、宮本香那、『檸檬』『四畳半襖の裏張り』などに見る秘めごとの諸相、文学における「告白」、J・T・リロイの事情、自販機本の原稿書きが「映画芸術」の編集長に教えられたこと ほか。小特集としてマッケローニと映画「スティルライフオブメモリーズ」、追悼・ケイト・ウィルヘルム。

アトリエサードの出版物の購入のしかた・通信販売のご案内

●アトリエサードの出版物が書店店頭にない場合は、書店へご注文下さい（発売＝書苑新社と指定して下さい。全国の書店からOK）。
●Amazonなどネット書店もご活用下さい。

●出版物の詳細はサイト http://www.a-third.com/ へ！ ネット通販でもご購入できます。
■各書籍の詳細画面でショッピングカートがご利用になれます。■郵便振替 / 代金引換 / PayPal で決済可能。

■インターネットをご利用になれない方は、郵便局より郵便振替にて直接ご送金いただいても結構です（ここに掲載している値段は税別なので、必ず消費税を加算して下さい。送料は不要。また連絡欄に希望書名・冊数を明記のこと）。入金の通知が届き次第、発送します（お手元に届くまで、だいたい5〜10日ほどお待ち下さい）。振込口座／00160−8−728019　加入者名／有限会社アトリエサード
■また TEL.03-6304-1638 にお電話いただければ、代金引換での発送も可能です（取扱手数料350円が別途かかります）

出版物一覧

アトリエサードHP

AMAZON（書苑新社発売の本）